UNDER THE EDITORSHIP

OF *James C. Babcock*

UNIVERSITY OF CHICAGO

DOS COMEDIAS

Willis Knapp Jones MIAMI UNIVERSITY AND

Houghton Mifflin Company · BOSTON · NEW YORK ·

FÁCILES

Demetrio Aguilera Malta

**UNIVERSIDAD
DE GUAYAQUIL**

**CHICAGO·DALLAS·
ATLANTA·SAN FRANCISCO**

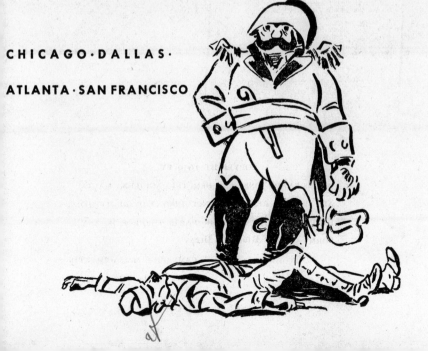

COPYRIGHT 1950 BY

WILLIS KNAPP JONES AND DEMETRIO AGUILERA MALTA

ALL RIGHTS RESERVED, INCLUDING THE RIGHT TO

REPRODUCE THIS BOOK OR PARTS THEREOF IN ANY

FORM 𝔜 The Riverside Press

CAMBRIDGE MASSACHUSETTS

PRINTED IN THE U. S. A.

FTW
AGR 9105

PREFACE

The present edition of *Sangre azul* and *El pirata fantasma* is intended for use in beginning Spanish classes. It affords practice in reading and in using lively and natural conversational Spanish in an interesting and familiar literary form. Both plays were originally written for the entertainment of Spanish-speaking audiences and were first presented on the stage in Guayaquil, Ecuador, during 1946. They are the work of the Ecuadorian novelist and dramatist Demetrio Aguilera Malta and Professor Willis Knapp Jones, who collaborated in writing the plays while both authors were teaching at the University of Guayaquil. *Sangre azul* was first printed in 1946 in the *Anales* of the University of Guayaquil and later reprinted in Spanish and in Portuguese and English by the Pan American Union for production on Pan American Day, 1948. *El pirata fantasma* was first published by *Ultimas Noticias*, of Quito, in 1947.

Although not originally planned as textbook material, the two plays are highly suited to classroom use because of the simple and useful vocabulary and the rapid movement and interest of the plots. The vocabulary of the plays, while essentially the natural Spanish of everyday conversation, shows a large percentage of high frequency words when checked against Keniston's *Standard List of Spanish Words and Idioms*. Of the 1438 different words used, more than 90 per cent not counting easily recognized cognates, are found in the *List*. Many of the remaining items are either environmental words or, in *Sangre azul*, modern terms like *aeropuerto*, *avión*, etc.

To facilitate the use of the text in the elementary course, all words in *Sangre azul*, except easily recognized cognates, are translated in footnotes if they are not found in the first 1,500 of the Keniston *List*. The same procedure in annotating is followed in *El pirata fantasma* for words beyond Keniston's 2,000.

The exercises are planned to afford ample material for practice in speaking Spanish and for organized drill on elementary principles of usage, idioms, and cognates. They are sufficiently varied to permit selection and emphasis according to the teacher's aims and methods.

Both plays are set, a century and a half apart, in Guayaquil, Ecuador's largest city and seaport. Its 300,000 inhabitants live along one shore of the Guayas River, about 40 miles from where it empties into the Pacific. One end of Guayaquil abuts against Cerro Santa Ana, where the city was founded in 1531. This section is the Barrio, or District, of Las Peñas, with its narrow streets and ancient houses, some of which are so close to the river that at high tide the waves lap the lignum vitae pillars on which they rest.

Today the old and the new are jumbled together in Guayaquil. Houses of split bamboo daubed with mud jostle modern Spanish-style 'dobe or stucco dwellings. Up-to-the-minute automobiles honk for passage through strings of laden donkeys or nearly-naked black longshoremen bent under bags of cocoa beans whose sickly sweet odor hangs over the city.

In the business district, away from the river, women in latest European fashions shop beside their mantilla-covered acquaintances. Foreigners, too, are numerous in Guayaquil; the English, Germans, and North Americans have brought their customs and their interests.

From the Pacific Ocean, the tide races upstream twice a day to raise the water level at the Guayaquil docks as much as ten feet. Its force, which boatmen use to propel their balsa rafts or canoes full of rice and bananas from Babahoya, 50 miles upriver, to the Island of Puná at the mouth of the Guayas, makes ocean vessels drag their anchors.

Since Guayaquil is at sea level, 150 miles south of the Equator, one would expect an unbearably hot climate. However, the original founders were wise enough to choose a location where the hill formation funnels in a constant stream of cool air, and therefore most of the nights are actually chilly. The days, except during the rainy (winter) season from December to April, are delightful.

Most people think of Guayaquil as a pesthole. The truth is that until the English schooner *Queen Victoria* arrived in August, 1842, with one of its crew dying of yellow fever, the town was a paradise. From the time of arrival of the plague until Colonel George W. Goethals came to Ecuador in 1916 to duplicate his successful clean-up campaign in the Canal Zone, the city deserved its unhealthy reputation. Since 1920, however, Guayaquil has not seen a single case of yellow fever. Its woes now come from poverty with its accompanying undernourishment and dirt, but families of even moderate income, if they take precautions against dysentery, need not worry here about their health.

The authors hope these plays will be fun to read. They thank the many who helped bring this book into being: Dean Francisco Huerta Rendón of the University of Guayaquil, who arranged for the first printed version of *Sangre azul,* and the actors Aurora Mendoza and Norberto Chico de la Peña, who presented it on the stage; the young actors of Colegio Vicente Rocafuerte and the girls of Colegio de Señoritas de Guayaquil who tested the actable qualities of *El pirata fantasma*; the Ecuadorian composer Corsino Durán C., who has given the authors permission to use his arrangement of the *pasillo* "Sombras," with words by Carlos Brito y Aguirre Pinto; Mrs. John Saxton, who contributed intelligent stenographic help, and the Chilean artist Alvial, who supplied illustrations to help the comprehension of readers who may not be able easily to imagine settings so different from their own environment in time and space. And we are especially grateful to Dr. James Babcock, editorial adviser in Spanish for Houghton Mifflin Company for very valuable assistance. Comments and suggestions from any who read or produce these plays will be welcomed.

W.K.J.
D.A.M.

SUGGESTIONS TO THE STUDENT

Reading a play is different from reading a novel because the imagination must supply descriptions not provided by the author. In one way this makes play reading in a foreign language easier, since few unusual adjectives and action verbs appear. On the other hand, the informal conversation of a play means a greater use of the second person and the imperative.

I. Review the formation of the second person, especially in the singular. The second person plural is less common, since in South America the tendency in speaking to more than one friend or member of one's family is to use the third person plural without subject pronoun. Thus, though the mother says *tú* to one of her children, she will use the third person plural in addressing two or more. Similarly, in affirmative commands she would use the imperative in the singular but the third person of the subjunctive in the plural.

As these plays show, people of the same age address each other in the second person after they become acquainted. Bob and Julieta do, in the *Pirata*, after discovering that they are related. Mrs. Adams and Victoria, however, never get beyond the formal stage.

Older people use the second person to younger people unless for some reason they wish to maintain formality. In the *Pirata*, the Grandmother says *tú* to her daughter and her granddaughter, but holds off her son-in-law by speaking to him with the formal third person. Juan, of whom all are more or less in awe, is addressed with the formal *Usted* by all except Renard.

Young people are supposed to use the polite third person to their elders. Carlos and Lola use this form in addressing their aunt in *Sangre azul.*

II. Review the formation of the imperative. For most verbs, it is the same as the third person of the present indicative, except that *tú*, instead of *Usted*, is the subject. *Usted Habla* (You speak): *habla (tú)* (Speak!). *Usted come* (You are eating): *Come (tú)* (Eat!)

A few very common verbs have a shortened and irregular imperative form. Learn them thoroughly so that you can recognize them readily:

decir — di	*haber — he*	*hacer — haz*
ir(se) — ve(te)	*poner — pon*	*salir — sal*
ser — sé	*tener — ten*	*venir — ven*

III. Ordinary conversation makes frequent use of the subjunctive. Therefore review the formation and uses of the subjunctive in your grammar and in the exercises of this textbook.

IV. While the vocabulary of these two plays totals 1438 words, many are cognates, or Spanish words that look somewhat like their English equivalents and can be understood by a student who trains himself to recognize them.

A. Sometimes they are exact cognates, with identical spelling, though they differ in pronunciation: animal, color, hotel, idea, local, tropical.

B. Others are approximate cognates, differing from English in the following ways:

1. The Spanish word uses a single consonant, where English doubles it: *aceptar, acusar, expresar, galope, imposible, indiferente, oportunidad, túnel.*

2. The Spanish form has a written accent: *ángel, caníbal, confusión.*

3. The Spanish word ends in *–a* or *–o*, which is changed to *–e* in English, or omitted: *canoa, prosa, vaso, bruto, intenso, fantástico, aristócrata, violenta.*

4. The Spanish word ends in *–io* or *–ia*, instead of the English *–y: aniversario, diplomacia, gloria, memoria, repertorio.*

5. The Spanish word ends in *–oso*, instead of the English *–ous: nervioso, misterioso, ansioso.*

6. The Spanish word ends in *–ancia* or *–encia*, instead of English *–ance* or *–ence: impaciencia, influencia, ciencia.*

7. The Spanish word ends in *–ción* instead of English *–tion: acción, emoción, nación, precaución, protección.* All are feminine gender.

8. The Spanish word ends in *–dad* or *–tad* instead of English *–ty: nacionalidad, variedad, velocidad, dificultad, libertad.* All are feminine gender.

9. Spanish uses *f* instead of the English *ph: elefante, frase, filosofía, teléfono.*

10. Spanish has *t* where English uses *th: autor, teatro, catedral, entusiasmo, simpatía.*

11. Spanish uses *–co* where English has *–cal: lógico, práctico, típico.*

12. The Spanish word begins with *es–* where English begins with *s–: escena, escandalizar, especial, espía, estrangular, estudiante.*

13. The Spanish uses *–ado* or *–ador* where English used *–ate* or *–ator: consulado, aviador.*

14. The English verb ends in *–e* or a consonant, corresponding to the Spanish *–ar, –er,* or *–ir: instalar, confesar, probar* (prove), *preparar, permitir, insistir, causar, convencer, defender.*

V. To prepare a lesson, try reading the whole assignment rapidly, even if some words are not understood. Then go over it a second time more carefully. Some of the unfamiliar words should be understood in the light of the rest of the lesson. If not, before using footnotes or vocabulary, examine the words carefully.

Do any of the preceding hints about cognates in Section IV help you guess the meaning? Is the word built on a familiar root? Does pronouncing it aloud suggest its meaning? If not, you will probably have to look it up.

Now, as a final step, re-read the whole assignment to fix the words in your memory. This way may take longer at first, but such practice will eventually make the student a faster reader than his classmate who puts his finger in the vocabulary section even before opening to the text itself, and then translates literally, word by word.

CONTENTS

Sangre azul

SANGRE

Personajes

MRS. ADAMS, norteamericana que pronuncia muy mal el español

RUTH, su hija

JIM, hermano de Ruth

SEÑORITA VICTORIA DE LA VEGA, aristócrata de sangre azul

LOLA DE LA VEGA, su sobrina

CARLOS DE LA VEGA, hermano de Lola

UVALINDA, criada

TORCUATO, criado de Carlos

MÚSICOS, que no hablan

La acción en nuestros días en el Ecuador

Acto primero

Es de noche.

Pequeña sala de entrada, en un hotel de lujo, en Guayaquil. Hay muebles confortables y elegantes. En el centro, sobre una mesa, una garrafa [1] con agua y un vaso. Además, una bomba de flit.[2]

Entrada a la izquierda, que da al corredor; otra a la derecha, que da al dormitorio de los Adams. Al fondo, ventana grande frente al río Guayas. Una hermosa luna ilumina las aguas, vapores, canoas, islas flotantes [3] y hasta la lejana orilla opuesta, con sus palmeras [4] y árboles tropicales.

Al levantarse el telón,[5] la escena está vacía. Se oye sonar violentamente el timbre [6] de la puerta.

1. garrafa *pitcher.*   2. bomba de flit *fly spray gun.*   3. flotante *floating.*
4. palmera *palm tree.*   5. telón *curtain.*   6. timbre *bell.*

2

AZUL Comedia en tres actos

I

(UVALINDA *entra por la derecha, atraviesa toda la sala y
va hacia la izquierda. Abre la puerta. Por ella, entra*
TORCUATO, *que lleva una maleta [1] en la mano.*)

UVALINDA. — ¿Qué desea? (TORCUATO *deja caer la maleta
en el suelo y mira a* UVALINDA, *con ojos de idiota.* UVALINDA
muestra su impaciencia.) Dígame siquiera, ¿quién es usted?
(TORCUATO — *en pantomima,[2] moviendo la cabeza, las manos,
el cuerpo todo — expresa el vuelo de un avión,[3] la maleta, el cuarto* 5
de los Adams. Después, sonríe. Vuelve a mirar a UVALINDA
intensa, largamente.) ¿Por qué me mira así? Hable.
Explíquese. ¿Es que le han comido la lengua? (TORCUATO
*se toca la frente, como si hubiera olvidado algo. Mete la mano
derecha en un bolsillo y saca un papel que abre ante ella y que* 10
dice, en grandes letras: «SOY SORDOMUDO[4]».) Ah. ¿Es
sordomudo? Pobrecito. Y yo que creía que era idiota. No
lo es ¿verdad? (TORCUATO, *por señas, dice que sí.*) ¡Qué
lástima! (TORCUATO *niega. Después, vuelve a tocarse la
frente en el mismo gesto anterior. Saca una carta y se la entrega a* 15
UVALINDA. *Esta la lee.*) Señor Jim Adams. (*Se acerca a la
puerta de la derecha y llama.*) ¡Señor Jim!

JIM. (*Desde fuera*) — ¿Qué ocurre, Uvalinda?

UVALINDA. — Una carta para usted.

---

1. maleta *satchel, traveling bag.* 2. pantomima *pantomime, gestures.*
3. vuelo de un avión *flight of an airplane.* 4. sordomudo *deaf and dumb.*

3

JIM. (*Desde fuera*) — ¡ Voy ! (JIM *entra por la derecha.*)

UVALINDA. — Aquí tiene, señor. (*Le da la carta.* JIM *la abre y lee.*)

JIM. (*Después de terminar de leer, pensativamente* [1]) — ¡ Qué ama-
5　bles son los de la Vega !

UVALINDA. — No se extrañe el señor. Son de las mejores familias de Guayaquil.

(*Entra* RUTH *por la derecha.*)

RUTH. — ¿ Noticias de ellos?

JIM. — Sí. Me escribe Carlos. Me envía la maleta que per-
10　dimos en el avión. Con su influencia, logró que la des-
pacharan [2] en seguida. (*A* UVALINDA) Tú, Uvalinda,
llévale esa maleta a mi madre. Está ansiosa de recibirla.
(UVALINDA *sale con la maleta, por la derecha.*)

RUTH. — Es que allí trae la mayor parte de sus medicinas
15　contra las enfermedades tropicales.

JIM. — Así es. (*A* TORCUATO) Tenga usted esto. Y muchas gracias. (*Saca dinero del bolsillo y se lo extiende.* TOR-
CUATO, *por señas, rechaza* [3] *el dinero y empieza a retirarse
inclinándose, hasta que sale por la izquierda.*) ¡ Qué tipo más
20　raro !

(*Durante breves instantes, la escena queda muda.* RUTH *se
dirige hacia el balcón.*)

RUTH. (*En pie, mirando por la ventana, abre la tela metálica* [4] *que
la cubre.*) — ¡ Qué hermosas son las luces del río Guayas,
Jim ! Mira los barcos, las palmeras, la bella luz de las
estrellas. (*Pausa*) Y pensar que en dos días hemos venido
25　de las nieves [5] frías de Ohío al calor del verano del Ecuador.

JIM. — Ese es el valor de la ciencia moderna, hermana. Las
velocidades aumentan; las distancias se acortan.[6] Pronto
los aviones a chorro [7] harán este mismo viaje en pocas horas.

30　RUTH. — Será muy moderno, como tú dices. Yo hubiera
preferido el viaje por barco. Las noches de luna en el

---

1. pensativamente *thoughtfully.*　　2. despachar *to send along, forward.*
3. rechazar *to reject, refuse.*　　4. tela metálica *fly screen.*　　5. nieve *snow.*
6. acortarse *to become short.*　　7. a chorro *jet propelled.*

océano, los diferentes paisajes, la romántica vida del vapor.
En el avión no se viaja ¡ se llega !

JIM. — Dices bien, Ruth. Y yo tenía que llegar a tiempo.
Tú sabes que la compañía « Arroz, Sociedad Anónima »[1]
insistió en que estuviese aquí antes de las primeras lluvias, 5
para instalar inmediatamente las máquinas. Además . . .

RUTH. (*Interrumpiéndolo, con malicia*[2]) — Además, tenías prisa
por encontrar a Lolita de la Vega, aquella simpática[3]
chica que conociste en Londres. Te confieso que, ahora
que la he tratado, te justifico absolutamente y celebro tu 10
gusto.

JIM. — Lo que me dices ¿ es completamente desinteresado ?[4]

RUTH. — Claro. ¿ Qué interés puedo tener yo en ella ?

JIM. — En ella, no. Pero me parece que su hermano Carlos
no te es tan indiferente. Por lo menos, ayer en la fiesta del 15
Country Club ustedes no se separaron ni un solo instante.

RUTH. — Lo raro es que tú te dieras cuenta. ¿ Cómo pudiste
advertirlo ? Sólo tenías ojos para Lola, como si lo demás no
existiera para tí. ¡ Casi no te reconocí, hermano mío ! El
hombre frío, lógico, se había convertido en un sonámbulo.[5] 20
Te hablé varias veces y no me contestaste.

JIM. — ¿ Sonámbulo ? La sonámbula eras tú. Recuerda que
Carlos tuvo que invitarte varias veces al baile de esta noche,
en el Club Unión, antes de conseguir una respuesta. (*Pausa*)
No hay que dejarse tomar por el trópico, hermanita. 25

RUTH. — Le digo lo mismo, señor ingeniero.[6]

(MRS ADAMS *entra por la derecha.*)

MRS. ADAMS. (*Al ver la ventana abierta, su rostro expresa temor.*) —
Por favor, Ruth; cierra la ventana. Ponle la tela metálica.
Va a entrar una invasión de mosquitos y pronto estaremos
todos en el hospital con paludismo.[7] ¡ Qué imprudencia ![8] 30

RUTH. (*Cerrando la ventana*) — Está tan hermosa la noche,
mamá. Y hace tanto calor aquí dentro.

---

1. Arroz, Sociedad Anónima *Rice Stock Company.* 2. malicia *mischief.*
3. simpático *attractive.* 4. desinteresado *unbiased.*
5. sonámbulo *sleepwalker, man in a daze.* 6. ingeniero *engineer.*
7. paludismo *malaria.* 8. imprudencia *carelessness.*

JIM. — No tanto como en Ohío en el verano. Allá, a veces el termómetro sube hasta cien grados Farenheit. Aquí, apenas si llega a ochenta y cinco. (*Dirigiéndose a su madre*) En cuanto a los mosquitos, no te preocupes,[1] mamá. Sólo el anófeles [2] causa la malaria. Los más recientes estudios locales sólo dan un veinte por ciento de tal clase en esta ciudad.

MRS. ADAMS. — Uno sería bastante, y todos estaríamos enfermos. (*Empieza a usar la bomba de flit.*)

(RUTH *se acerca a la mesa donde está la garrafa con el agua. Se sirve en un vaso y va a beber.* MRS. ADAMS *se lo quita de la mano.*)

MRS. ADAMS. — Ruth ¿ qué vas a hacer ?

RUTH. — ¿ Qué pasa ? (*Asustada*) Tengo sed.

MRS. ADAMS. — ¡ No, por favor, no bebas ! Vamos a pedir agua mineral.

RUTH. — Está bien ésta, mamá. No me gusta el agua mineral.

MRS. ADAMS. — Pero no sabemos si los criados del hotel han hervido [3] esta agua veinte minutos.

JIM. — Déjala beber, no más.[4] La Compañía pone clorina [5] en el agua y nosotros estamos vacunados.[6] Si estas protecciones no valen ¿ para qué vamos a hervir el agua ? Muchos microbios resisten temperaturas aun más altas, sin morir.

MRS. ADAMS. — Como tú eres ingeniero y has estudiado tanto estos países tropicales, debes estar en lo cierto. Por mi parte, yo no quiero coger una enfermedad. (*Pausa*) Esto es horrible. ¿ Para qué habré venido aquí ? En esta semana pasada no he tenido un momento tranquilo. (*Pausa*) Hasta salir a la calle, me da miedo.

JIM. — ¿ Miedo ? ¿ De qué ? Guayaquil es una ciudad moderna. Es más grande que su pueblecito de Ohío.

MRS. ADAMS. — Pero en Ohío no hay cocodrilos [7] que salgan de los ríos a comerse a la gente.

1. preocuparse *to worry.*   2. anófeles *anopheles* (kind of mosquito).
3. hervir *to boil.*   4. no más *just.*
5. clorina *chlorine* (germ-killing agent).   6. vacunado *vaccinated.*
7. cocodrilo *crocodile.*

JIM. (*Con malicia*) — Ya no hay cocodrilos aquí, mamá. Los pocos que quedaban los han industrializado. Ahora los llevan las señoras . . .

MRS. ADAMS. (*Mirando por todas partes, asustada*) — ¿ Las señoras?

JIM. (*Riendo*) — Sí. Convertidos en zapatos y bolsas.[1]

RUTH. (*Mirando su reloj, preocupada*) — Los de la Vega se están tardando mucho.

MRS. ADAMS. — ¿ Por qué te extrañas? Los latinos no tienen sentido de la hora.

JIM. — Tienen un sentido distinto. Recuerden que en inglés decimos: el tiempo vuela; aquí, todo lo dejan para mañana.

MRS. ADAMS. — Ya que ellos no han llegado todavía, ustedes no tienen que acompañarlos al baile de esta noche.

RUTH. — Mamá, por favor. En nuestro país, tampoco llegamos nunca temprano a los bailes.

MRS. ADAMS. — Sin embargo, yo pienso que ellos debieran prestar más atención a la hora. (*Se acerca a una silla y empieza a examinarla con cuidado.*)

JIM. — ¿ Qué has perdido, mamá?

MRS. ADAMS. — Nada. Es que he leído tanto de los trópicos, que no quiero sentarme encima de una tarántula o un alacrán.[2]

RUTH. — Has leído demasiado acerca del infierno [3] verde. En cambio, Carlos dice que los trópicos son amables con los que los aman.

MRS. ADAMS. — ¿ Carlos, eh? Mira, Ruth. No te llenes la cabeza de ideas románticas sobre los latinoamericanos. Recuerda qué poco prácticos son todos ellos.

JIM. — Carlos de la Vega es muy práctico. El tiene uno de los cerebros [4] más prácticos que he conocido. El sabe lo que hace. Aprecia la ciencia en lo que vale. Respecto de todo, tiene ideas muy modernas. A pesar de la gran fortuna que recibió de su padre, me han dicho que la está

1. bolsa *pocketbook*.   2. tarántula y alacrán *kind of spider and scorpion*.
3. infierno *Hell*.   4. cerebro *brain, mind*.

aumentando, en lugar de gastarla. Se ocupa de muchas empresas . . .

MRS. ADAMS. (*Interrumpiéndolo*) — Todo eso está muy bien. Pero tú no querrías que tu hermana tuviera ideas románti-
5 cas de él y hasta pensara en casarse. ¿ Verdad?

JIM. — No he pensado en eso. Pero puesto que tuvimos que pasar una semana aquí, arreglando las máquinas que llegaron, antes de ir a la Hacienda, fué mejor que se divir-tiera con Carlos y no con otros, que seguramente no son
10 tan agradables como él.

MRS. ADAMS. — Si te he de decir la verdad, no confío en él; no confío en ninguno de ellos.

RUTH. — No confías en nada, mamá. Mosquitos en el aire, microbios en el agua, alacranes en las sillas, cocodrilos en
15 las calles. ¡ Tú no debías haber venido nunca al Ecuador !

MRS. ADAMS. — Sabes bien que sólo hemos venido por acom-pañar a Jim. De otro modo, podríamos haber hecho tu viaje de recreo[1] por Europa, como lo hizo tu hermano. Eso sí te digo. Mientras más pronto salgamos de aquí
20 ¡ mucho mejor ! (*Suena el teléfono.* MRS. ADAMS *se dirige a* JIM.) Contesta, Jim. Me pongo nerviosa al hablar con los que usan ese idioma bárbaro.

RUTH. — Mamá, no digas eso. No olvides que aquí se comenzó a hablar español un siglo antes de que se hablara inglés en
25 Ohío.

JIM. (*Al teléfono*) — ¿ Aló?[2] Sí, Carlos. Habla Jim. No. No importa. Suban, no más. Sí. Llegó el mozo. Muchas gracias. Es temprano, todavía. Tenemos tiempo para un cocktail. Bien. Los esperamos. ¡ Adiós ! (*Volviéndose a*
30 *los otros*) Son los de la Vega. Vienen con la tía. (*En broma*) La soltera[3] más noble del mundo.

(RUTH *empieza a arreglar lo más rápidamente que pueda la salita. Al levantar el vaso, se le cae de la mano, derramándose el agua sobre el vestido.*)

RUTH. — ¡ Oh, se me manchó[4] el traje ! ¿ Qué voy a hacer?

---

1. recreo *vacation, amusement.*   2. Aló *Hello.*
3. soltera *unmarried woman, old maid.*   4. mancharse *to be stained.*

MRS. ADAMS. — Y es tu único traje de etiqueta.[1] No puedes ir al baile así.

JIM. — ¿ Qué importa? Está bien. Ellos compenderán.

RUTH. — No. Uvalinda puede hacer algo. Tengo una plancha [2] eléctrica. No sé si puedo usarla aquí.

JIM. — Por eso no te preocupes. Yo lo arreglaré. Es muy sencillo. Mamá, di a los de la Vega que volveremos en seguida.

> (RUTH y JIM *salen por la derecha.* MRS. ADAMS *se dirige hacia el balcón y se queda mirando, a través de la tela metálica. Suspira. Suena el timbre de la puerta.* MRS. ADAMS *se dirige hacia la izquierda y abre.* VICTORIA, LOLA y CARLOS *entran por la izquierda.*)

MRS. ADAMS. (*Con acento muy marcado*) — Pasen. Pasen ustedes. ¿ Cómo está usted, señorita de la Vega? ¿ Cómo está usted, señor de la Vega?

LOLA. — Buenas noches, señora Adams.

CARLOS. — ¿ Cómo está usted, señora Adams? Permítame presentarle a mi tía, la señorita Victoria de la Vega.

MRS. ADAMS. — Mucho gusto, señorita de la Vega.

VICTORIA. — Lo mismo digo yo, señora Adams.

MRS. ADAMS. — Siéntense. Los chicos saldrán en un momento. (*Todos se sientan.*)

CARLOS. (*Después de breve pausa*) — ¿ Y cómo la ha recibido Guayaquil?

MRS. ADAMS. — Creo que podré acostumbrarme, si vivo bastante tiempo.

LOLA. — Sentirá dejar este departamento [3] tan lindo.

CARLOS. — Sí. Cuando vayan al campo, tendrán menos comodidades.[4]

MRS. ADAMS. — Si estamos seguros y con pocos peligros, la pasaré contenta. ¿ No encontraremos muchas víboras?

CARLOS. — No, señora Adams. En las tierras donde crece el arroz, que es a donde va Jim, hay pocas. Se necesitaría ir a la selva [5] para encontrarlas.

---

1. traje de etiqueta *evening dress.*   2. plancha *iron.*
3. departamento *apartment.*   4. comodidades *conveniences.*
5. selva *jungle.*

MRS. ADAMS. — ¿ Ha estado alguna vez en la Hacienda donde
va Jim?

LOLA. (*Vivamente*) — ¿ Alguna vez? Si nosotros . . .

CARLOS. (*Interrumpiéndola, con una mirada llena de significación*)
5   — Nosotros hemos andado por casi toda la costa del Ecuador. Puedo asegurarle que usted no tendrá nada que
temer allá.

VICTORIA. — ¿ Por qué no se queda en Guayaquil, señora?
Aunque ahora todos andamos revueltos y los indios y los
10   negros se creen nuestros iguales, todavía quedamos unos
pocos aristócratas de sangre azul.

CARLOS. — Tía, no diga eso. Los tiempos coloniales ya se acabaron. Ahora nadie es más que nadie. Lo que vale es el
corazón y la inteligencia.

15 VICTORIA. (*Sacando unos impertinentes* [1] *y mirándolo*) — No
quiero escuchar tales ideas. Es por eso que la gente baja
cada día está más difícil. ¿ Qué podemos esperar de ellos,
si los primeros revolucionarios [2] son los nobles?

MRS. ADAMS. — Parece que Ruth y Jim tardan mucho. Hubo
20   una dificultad antes de que ustedes subieran. Veré si puedo
ayudarlos. Con el permiso de ustedes.

(MRS. ADAMS *sale por la derecha.*)

CARLOS. — ¿ Por qué habla usted así, tía Victoria? ¿ Qué van
a pensar los Adams de nosotros?

VICTORIA. — Quiero que sepan con quien están tratando, y
25   que nosotros somos una familia vieja y digna.

LOLA. — Pero tía . . .

VICTORIA. — Estos gringos [3] creen que llegan a tierra de conquista, que aquí todos somos salvajes. [4] Y eso no es verdad,
porque en cuanto a sangre, la nuestra es más pura que la
30   de cualquiera.

LOLA. (*Con malicia*) — ¿ Pura? ¿ Ya olvidó que nosotros
venimos de aquel pirata inglés, que tuvo amores con una de
nuestras antepasadas? [5] . . .

---

1. impertinentes *lorgnette* (spectacles on a handle).
2. revolucionario *revolutionary spirit*.   3. gringo *foreigner*.
4. salvaje *savage*.   5. antepasado *ancestor*.

CARLOS. — ...¿ y que pagó en la horca [1] todos sus crímenes [2]?

VICTORIA. (*Mirando asustada por todas partes*) — Cállense. No lo repitan nunca. Esa es la mancha [3] negra de la familia. No sé por qué se lo refirió mi hermano, contra el deseo de toda la familia.

LOLA. — Su gota de sangre inglesa era el orgullo [4] de papá.

CARLOS. — A mí, en cambio, la que me da orgullo es la sangre india, la que me dejaron mis antepasados de esta tierra.

VICTORIA. (*Volviéndole a mirar con los impertinentes*) — ¿ No lo digo? Eres un rojo. Tú y los bolcheviques [5] como tú, tienen la culpa de que ya no haya cocineras [6] ni criadas en Guayaquil; de que la gente baja esté cada día más insolente y atrevida.

CARLOS. — Perdóneme, tía. No quise disgustarla. [7]

VICTORIA. — Si no me disgusto. Pero insisto en que eres como eres. Por eso te gustan tanto esos gringos, que son un verdadero cocktail de sangres.

LOLA. — ¿ No es la mezcla lo que hace buenos los cocktailes? Como prueba, allí está Jim. No hay nadie más simpático. Ya verá cuando lo conozca.

CARLOS. — ¿ Y Ruth? Ruth es maravillosa. Si eso es el resultado de un cocktail de sangres, es una buena idea.

VICTORIA. — Para mí son un par de gringos y con eso está dicho todo. En cuanto a su madre ... ¡ me cae como una ducha [8] fría !

CARLOS. — Cállese, por favor, tía. La pueden oír.

VICTORIA. — Que me oigan. Así verán que aquí no todo es miel y vaselina [9] para los gringos. Aquí todavía queda mucha gente que tiene dignidad y no se vende.

LOLA. — Ellos van a volver, tía.

VICTORIA. — Puede ser que no te equivoques. Ya es tiempo de que vuelvan. Mira cuánto nos han hecho esperar.

---

1. horca *gallows*.   2. crimen *crime*.   3. mancha *stain*.
4. orgullo *pride*.   5. bolchevique *Bolshevik, Communist*.
6. cocinera *cook*.   7. disgustar *to displease*.
8. ducha *shower bath;* me cae como una ducha fría *she does not impress me* (*favorably*).   9. miel y vaselina *honey and vaseline* (*sweetness and smoothness*).

Supongo que la niña ha de pensar que sus bonos [1] suben mientras más tarda en recibirnos.

CARLOS. — ¡ Tía ! Ruth no necesita de eso para que se la estime más. Por otra parte, es natural que ella quiera
5 estar elegante su última noche en Guayaquil. Usted no debe criticarla [2] por eso.

(*Entra* JIM.)

JIM. — Buenas noches, Lola. ¿ Qué tal, Carlos? (*Se dan la mano.*)

LOLA. — ¿ Cómo está, Jim?

10 CARLOS. — ¿ Qué tal? Permíteme presentarte a mi tía, la señorita Victoria de la Vega. Este es Jim Adams, tía.

VICTORIA. — Mucho gusto en conocerlo, señor.

JIM. — Celebro conocerla, señorita de la Vega. Siento no haber estado aquí cuando ustedes llegaron. También les
15 pido perdón por Ruth. Derramó un poco de agua sobre su único traje de etiqueta y ahora está tratando de arreglarlo con la ayuda de mamá y Uvalinda.

VICTORIA. — ¡ Uvalinda ! ¿ Qué Uvalinda? Nosotros tuvimos una criada llamada Uvalinda.

20 JIM. — Es la misma. El dueño del hotel nos la envió porque hablaba inglés. Aprendió ese idioma cuando el señor de la Vega la llevó a Inglaterra. Siempre nos habla de ustedes.

VICTORIA. — Fué una criada magnífica, digna de nuestra familia.

25 JIM. — Nosotros estamos muy contentos de ella y la llevaremos a la Hacienda para que acompañe a mi mamá y a Ruth. (*Pausa*) A propósito de Ruth, ojalá [3] no se tarde mucho. No quiero perder ni un momento de esta noche.

CARLOS. — Estoy de acuerdo contigo. No habrá muchas
30 ocasiones de ir a fiestas cuando ustedes estén en el campo.

JIM. — Así es. Por eso esta noche debemos pasar unas horas muy agradables, para recordarla hasta que podamos volver.

LOLA. — Ojalá vuelvan pronto.

VICTORIA. — ¡ Niña ! (*Levantando los impertinentes*) Las mu-
35 jeres ecuatorianas de nuestra clase nunca dicen esas cosas.

---

1. bono *stock*.   2. criticar *to criticize*.   3. ojalá *I hope that*.

JIM. — En mi país, las mujeres dicen lo que sienten.

VICTORIA. — Señor mío, gracias a Dios que no estamos en su país.

CARLOS. — Disculpa a mi tía, Jim. Para ella no existe otro país que el Ecuador, ni familia más honrada [1] que la suya. 5

JIM. — Ella hace muy bien, Carlos. Todos los ecuatorianos debieran pensar lo mismo. (*Pausa*) ¿Por qué tarda tanto mi hermana? (*Mirando hacia la derecha*) Por fin. Aquí las tenemos.

(*Entran* RUTH *y* MRS. ADAMS *por la derecha.*)

RUTH. — Buenas noches, Lola. Buenas, Carlos. 10

LOLA. — Buenas, Ruth.

CARLOS. — Muy buenas, Ruth. Le presento a la tía Victoria. Esta es Ruth Adams, de quien tanto te he hablado.

VICTORIA. — Tanto gusto en conocerla, señorita.

RUTH. — Lo mismo digo yo. Les ruego perdonarme la tar- 15 danza. Estaba arreglando mi traje . . .

JIM. — Ya se lo expliqué. Ellos comprenden . . .

(*Todos se sientan.*)

VICTORIA. — Es lástima que ustedes hayan conocido a Guayaquil en la estación de lluvia.[2] En el verano hace menos calor. 20

RUTH. (*Sonriendo*) — Estamos tan ocupados preparándonos para el viaje al campo que no tenemos tiempo para fijarnos en la temperatura.

LOLA. — ¿Y tienen todo preparado para salir mañana?

RUTH. — Sí. Creo que sí. Aunque mi mamá quiere trasladar 25 una casa y una botica [3] enteras a donde vamos. Todas las precauciones le parecen necesarias.

MRS. ADAMS. — ¿Cómo sabemos lo que nos va a ocurrir? Tengo algunas dudas sobre muchas cosas, todavía. Por ejemplo no sé si debo comprar otro par de botas,[4] mañana. 30 (*A* VICTORIA) ¿Cree usted que los zapatos que tengo ofrezcan bastante protección contra las víboras?

VICTORIA. (*Asombrada*) — ¿Qué clase de zapatos?

1. honrado *honorable*. 2. estación de lluvia *rainy season*.
3. botica *drug store*. 4. bota *boot*.

MRS. ADAMS. — ¡ Ah ! Es verdad que usted no los ha visto todavía. ¿ Por qué no vamos a verlos y, al mismo tiempo, usted puede aconsejarme sobre los trajes que pienso llevar ?

VICTORIA. — Con todo gusto, señora Adams. Y si necesita
5 más, podemos comprar mañana lo que haga falta. Con el permiso de ustedes.

MRS. ADAMS. — Regresaremos en un instante.

(VICTORIA *y* MRS. ADAMS *salen por la derecha.*)

JIM. (*A Lola*) — Mientras mi madre le enseña a tu tía los pantalones de montar ¹ . . .

10 LOLA. — ¿ Pantalones de montar ? Mi tía se va a escandalizar.

JIM. (*Continuando, como si no la hubiese escuchado*) — Y las botas altas, y la chaqueta de cuero,² y los lentes ahumados ³ . . . Tú y yo podemos ir un rato al balcón ¿ no te parece ?

LOLA. — Magnífico. Vamos.

(LOLA *y* JIM *se dirigen hacia el balcón.* RUTH *y* CARLOS *se quedan en primer término, conversando.*)

15 CARLOS. — Te tengo preparada una sorpresa, Ruth.

RUTH. — ¿ Una sorpresa ? ¿ De qué se trata ?

CARLOS. — No te lo puedo decir todavía. Lo sabrás mañana.

RUTH. — Mañana no estaremos en Guayaquil.

CARLOS. — Es que la sorpresa tampoco estará en Guayaquil.

20 RUTH. — ¿ Dónde, entonces ?

CARLOS. — Si te lo digo, no será sorpresa.

RUTH. — Lo dices porque has leído que las norteamericanas somos muy curiosas. Yo no soy así.

CARLOS. — No, Ruth, no es eso. Es que tú eres única, no im-
25 porta de dónde seas.

RUTH. — Ustedes los latinos son tan corteses ⁴ . . .

CARLOS. — Esta vez no soy cortés, Ruth. Es que tú eres una mujer maravillosa. Desde que te vi, me causaste una impresión profunda, como ninguna mujer me la causara hasta
30 entonces. (*Con pasión*) Ahora mi vida es distinta. No hago más que pensar en ti, soñar contigo.

1. pantalones de montar *riding breeches.*
2. chaqueta de cuero *leather jacket; coat.*
3. lentes ahumados *smoked (dark) glasses.*   4. cortés *polite.*

RUTH. (*Pensativa*) — ¿No crees tú que es el encanto del trópico? Las cosas aquí se ven tan distintas. Los sentimientos parecen más intensos. Por todas partes hay una especie de fiebre.[1] Confieso que, en tan pocos días, yo también he cambiado mucho. 5

CARLOS. — Y tendrás que cambiar más todavía, Ruth, sobre todo para mí, si consigo convencerte de mi afecto.

RUTH. — Si yo no dudo, Carlos, de lo que tú me dices. Yo también . . .

CARLOS. (*Intensamente*) — ¿Qué? 10

RUTH. — He pensado en ti demasiado frecuentemente [2] esta semana. Tú has hecho un verdadero milagro en mi corazón. (*Pausa. Transición.*[3]) ¿A qué seguir hablando de eso, si mañana tengo que irme y quién sabe cuándo volveremos a vernos? 15

CARLOS. — Así es. ¡Quién sabe! Pero la fe no hay que perderla nunca.

RUTH. — Dejemos esto, por favor. Quiero que mi última noche en Guayaquil sea muy alegre. Vamos a preparar los cocktailes. Es algo que Uvalinda no aprendió en Londres. 20

CARLOS. — ¿Llamamos a Jim y a Lola?

RUTH. — No. ¿Para qué? (*Con malicia*) También es la última noche de Jim en Guayaquil.

(RUTH y CARLOS *salen por la derecha.*)

JIM. — Mirando el Guayas estaba pensando en la noche que te 25 conocí en Londres. ¿Recuerdas? Fué, también, frente a un río, el río Támesis.

LOLA. — ¡Qué niebla [4] había esa noche! No se veía a dos pasos de distancia.

JIM. — He vivido envuelto en esa niebla hasta que volví a 30 verte.

LOLA. — Yo creí no volver a verte jamás.

JIM. — Siempre que me propongo algo, tarde o temprano lo consigo. Me propuse venir al Ecuador ¡y aquí estoy!

1. fiebre *fever.*   2. frecuentemente *frequently.*   3. Transición *change.*
4. niebla *fog.*

LOLA. — Sí. Aquí estás. Parece un sueño.

JIM. — No creas que fué fácil. Tuve que luchar¹ algún tiempo. Claro que tu recuerdo servía para animarme. No podía olvidar la fiesta de la Embajada² Ecuatoriana en 5 Londres, donde volvimos a vernos. Y nuestra cita³ que arreglamos.

LOLA. — Sí. Esta cita aquí, en el corazón del Trópico.

JIM. — Después de llegar a Nueva York, casi viví en el Consulado⁴ Ecuatoriano buscando trabajo.

10 LOLA. — Y la ocasión vino pronto.

JIM. — Así es. Cuando supe que se iba a tecnificar⁵ el cultivo⁶ del arroz, pensé que ésa era mi oportunidad, como era ingeniero y experto en el cultivo del arroz. Además, sabía tanto de esta tierra. Había estudiado todos los libros que 15 podían conseguirse en Nueva York, sobre sus problemas de agricultura. Así fuí comprendiendo lo que ella vale. Ahora la quiero por eso y porque aquí naciste tú.

LOLA. — Tienes una forma extraña de hacer el amor. Juntas en una sola pasión, tu novia, tus máquinas, la tierra, tus 20 deseos de construír.

JIM. — Es un amor un poco a la norteamericana. De todos modos, es amor; amor sincero, profundo, lleno de fuerza y poder. (*Con pasión*) Ustedes los latinos piensan que sólo entendemos de negocios, que en nuestro corazón no hay 25 fuego, que para nosotros todo es tranquilo, frío, producto del cerebro. ¡ Ustedes se equivocan, Lola ! Y yo . . . ¡ yo te adoro !

(JIM *se acerca a* LOLA *y trata de abrazarla.*)

LOLA. (*Mirando nerviosa⁷ por todos lados*) — Por favor, Jim. Que nos van a ver.

(JIM, *a su vez, mira por todos lados.*)

30 JIM. — No hay nadie. Nos han dejado solos.

LOLA. — Sí, Jim.

---

1. luchar *to struggle, fight.*   2. Embajada *Embassy.*
3. cita *rendezvous, appointment.*   4. Consulado *Consulate.*
5. tecnificar *to use modern technique.*   6. cultivo *cultivation.*
7. nervioso *nervous(ly).*

JIM. — Eres tan linda, Lola. Pareces una flor del Trópico. Te quiero.

LOLA. — Yo también te quiero a ti.

(JIM, *poseído de súbita[1] pasión, la besa, en un beso largo.*
VICTORIA *y* MRS. ADAMS *entran por la derecha.*)

VICTORIA. (*Levantando los impertinentes y mirando a* LOLA *y* JIM *que no las han advertido y que continúan unidos por el beso*) — ¡Qué horror! ¿No me engañan mis ojos? ¡Lola! ¡Lola! ¿Es posible que tú hayas hecho esto?

LOLA. (*Volviéndose*) — ¡Cielos! ¡Mi tía!

JIM. (*Volviéndose*) — ¡Tu tía!

VICTORIA. — Vámonos. Vámonos inmediatamente. No podemos permanecer un minuto más en un sitio donde se nos ha insultado en esta forma. ¿Qué diría mi abuelo el marqués[2] si lo viera?

JIM. — Permítame explicarle. Yo . . .

VICTORIA. — Las explicaciones[3] sobran, señor mío. Es mi castigo,[4] por haber consentido esta amistad. Pero ¿qué podía esperarse de unos gringos?

MRS. ADAMS. — Un momento, señorita de la Vega. ¿Cree que es posible besar a una mujer contra su voluntad?

VICTORIA. — No lo sé, ni me interesa saberlo.

MRS. ADAMS. — Además ¿por qué le da usted tanta importancia a un beso? ¿Es que a usted no la han besado nunca?

VICTORIA. (*Muy digna*) — Señora Adams, las damas de nuestra familia sólo pueden ser besadas por su esposo, después de celebrada la boda. Yo soy soltera todavía.

MRS. ADAMS. — Pues usted ha perdido muchas oportunidades de darse gusto, entonces.

VICTORIA. — He oído bastante, señora mía. Lola ¡a casa!

JIM. — Ella no tiene la culpa.

VICTORIA. — ¿Quién dice que ella tiene la culpa? Yo sé bien que el único culpable[5] es usted. Por eso, no la volverá a ver más.

1. súbito *sudden.*   2. marqués *Marquis.*   3. explicación *explanation.*
4. castigo *punishment.*   5. culpable *guilty.*

LOLA. — Tía, no diga eso.

VICTORIA. — Es mi última palabra. Vámonos. Y ya sabes: ni llamadas [1] por teléfono, ni cartas. ¡ Nada ! Despídete para siempre. Como si este señor gringo se hubiera

5 muerto.

LOLA. (*Casi llorando*) — ¡ Adiós, Jim !

JIM. — ¿ Adiós ? Eso nunca, Lolita. Aunque lo digan todas las tías del mundo, te veré.

VICTORIA. (*Inclinándose*) — Señora Adams . . .

10 MRS. ADAMS. (*Inclinándose*) — Señorita de la Vega . . .

  (RUTH *y* CARLOS *entran por la derecha. La primera lleva una bandeja* [2] *con varias copas.*)

CARLOS. (*Con gran entusiasmo*) — Aquí estamos con los cocktailes. ¡ Viva la alegría ! Reparto la felicidad en copas. (*Transición. Mirando a todos, asustado.*) ¿ Por qué están ustedes tan serios ?

15 RUTH. — ¿ Ha pasado algo grave ?

VICTORIA. — No estamos para bromas, Carlos. Esta familia yanqui [3] nos ha ofendido en nuestro honor.

CARLOS. (*Con gesto de sorpresa*) — ¿ Honor ? Imposible. Díganos qué ha ocurrido, tía. Tal vez, le han dicho o le han

20 hecho algo sin quererlo. Ellos no conocen nuestras costumbres.

VICTORIA. — En ningún país honrado se puede besar a una dama, si antes no se ha pasado por el altar y celebrado la boda.

25 CARLOS. — Esas son cosas de otro siglo, tía.

VICTORIA. — Otro siglo y todo, nos vamos. No volveremos a tener trato con esta familia, ni con ningún gringo. Nos vamos.

CARLOS. — Pero tía . . .

30 LOLA. — Tía . . .

VICTORIA. — Silencio. ¡ Nos vamos !

CARLOS. (*A* JIM) — No te preocupes, Jim. Mi tía, en el fondo, tiene un magnífico corazón. Ya se arrepentirá.[4]

---

1. llamada (*telephone*) call.   2. bandeja *tray.*
3. yanqui *Yankee, North American.*   4. arrepentirse *to change one's mind.*

Trataremos de arreglar esto más tarde. Tal vez, mañana...

JIM. — ¿ Mañana? Pero yo tengo que irme y para mí no hay
mañana.

VICTORIA. — Tiene razón, señor gringo. Para usted no habrá 5
mañana. Todo se ha acabado hoy.

(TELON)

II

La escena representa un exterior de la Hacienda « Arroz, Sociedad Anónima ».   Es de tarde.

A la derecha, en primer término, una casa de hacienda, de un piso, con un balcón y una puerta practicables.[1]

A la izquierda, en primer término, árboles tropicales que parecen formar una verdadera pared.

Al fondo, la selva.

> *Al levantarse el telón, están en escena músicos típicos,[2] (a ser posible guitarristas) tocando un pasillo.[3]   Después de algunos momentos, aparece por la izquierda, en segundo término,* TORCUATO, *cargado de equipaje[4] hasta las narices.   Se detiene ante los músicos.   Arroja al suelo las maletas y les hace señas de que vienen los gringos.   Procura describir con su pantomima a* MRS. ADAMS, RUTH, *y* JIM. *Los músicos comprenden y, después de un momento, salen por la derecha, segundo término, dejando de tocar.* TORCUATO *sigue avanzando hacia la derecha primer término, saliendo por la puerta de la casa.*
>
> MRS. ADAMS, RUTH *y* JIM *entran por la izquierda, segundo término.   Vienen con traje de viaje.* MRS. ADAMS *lleva un completo equipo de campo;[5] sombrero para la selva con un velo[6] para protegerse de los mosquitos, chaqueta de cuero, pantalón de montar, lentes ahumados y botas altas.*

MRS. ADAMS. — Por fin estoy en tierra firme.

RUTH. — Pero, mamá, si el viaje en lancha[7] fué tan lindo. Vimos los pájaros en el río, las orillas verdes, las chozas de bambú[8] que parecían saltar al agua.

---

1. practicable *practical* (which can be used).
2. típico *typical* (of the country).   3. pasillo *a kind of music* (see page 59).
4. equipaje *baggage.*   5. equipo de campo *explorer's equipment.*
6. velo *veil.*   7. lancha *launch.*   8. choza de bambú *bamboo hut.*

MRS. ADAMS. — Para mí fué como una agonía eterna. ¡ Viajar en una hamaca de paja,[1] entre racimos de plátanos[2] y sacos de cacao.[3] (*Dirigiéndose a* JIM) Y los cocodrilos. ¿ Cómo decías tú, Jim, que ya no había cocodrilos? Aquí en la orilla vi dos o tres. 5

JIM. — Tú viste más cocodrilos durante nuestro viaje por Florida, mamá.

MRS. ADAMS. — Sí, pero ésos eran cocodrilos norteamericanos, casi domesticados,[4] no como estos cocodrilos extranjeros, que son verdaderas fieras.[5] Cuando le vi abrir la boca a 10 uno de éstos me pareció que llevaba un niño dentro de ella.

RUTH. — ¡ Qué cosas dices, mamá ! No lo tomes así. Tómalo como Jim, que no cabe en sí de alegría.[6]

JIM. — Por supuesto, hermanita ! ¿ No era éste el final[7] de mi viaje, el sitio donde voy a trabajar? 15

MRS. ADAMS. — Ojalá que te dure la salud y el entusiasmo para terminar bien tu trabajo.

JIM. — ¡ Miren qué tierra ! Cada planta trata de crecer más

1. hamaca de paja *straw hammock*. 2. racimo de plátanos *stalk of bananas*.
3. cacao *cocoa bean*. 4. domesticado *tame*. 5. fiera *wild animal*.
6. no cabe en sí de alegría *he is beside himself with joy*. 7. final *end*.

rápidamente que las otras. Cuando yo instale las máquinas
y éstas empiecen a trabajar los campos de arroz, vamos a
doblar [1] la producción.

RUTH. — ¡ Por favor, Jim ! Pareces un agente de la Cámara
5   de Agricultura. ¿ De veras estás contento? ¿ No te causa
pena el haberte separado de Lola?

MRS. ADAMS. — Me parece muy bien que esté contento. Por
mi parte, la esperanza de no ver más a los de la Vega, sobre
todo a la tía aristocrática, es lo único que me consolará en
10   este valle [2] de lágrimas en que voy a vivir.

RUTH. — Sin embargo, a ti los muchachos de la Vega te
parecieron muy simpáticos.

MRS. ADAMS. — Como personas, sí; como amigos íntimos, no.

JIM. — Es que tú no los conoces bien, mamá. Carlos en cual-
15   quier parte, aun en los Estados Unidos, haría un buen
papel. Y Lola . . . Lola es una gran mujer, no importa
donde haya nacido. (*Con emoción*) Claro que siento haberla dejado. Pero yo no la perderé. Ustedes me conocen. Siempre consigo lo que quiero conseguir. Además,
20   Carlos ha prometido ayudarme . . .

RUTH. (*Con cierta tristeza*) — ¿ Carlos ayudarte? ¡ Quién
sabe ! Mejor es que no confíes más que en tus propias
fuerzas. Ya ves. A mí me prometió para hoy una sorpresa. ¡ Y no la ha cumplido !

25 JIM. — Aún no ha terminado el día, hermanita.

MRS. ADAMS. — Jim, Jim. ¿ Algún mosquito no te habrá dado
una fiebre de hispanoamericanismo?

JIM. (*Señalando la puerta de la casa de Hacienda*) — Mira. Ahí
tienes a Carlos dándome la razón.

(*Entra* CARLOS *por la puerta de la casa.*)

30 CARLOS. — ¿ Cómo están? Aquí estoy para darles la bienvenida.[3]

RUTH. — De verdad ¿ eres tú, Carlos?

CARLOS. (*Sonriendo*) — El mismo, en persona. (*Se adelanta
hacia el grupo.*) Mucho gusto en saludarla, señora Adams.

---

1. doblar *to double*.   2. valle *valley, vale*.   3. bienvenida *welcome*.

Lo mismo a ti, Ruth, y a ti, Jim.   (*Les extiende la mano, que ellos estrechan en el orden indicado.*)

MRS. ADAMS. — Lo mismo digo, señor de la Vega.

RUTH. — Ha sido una sorpresa muy grata, Carlos.

JIM. — ¿ Qué tal, Carlos ?

MRS. ADAMS. — ¿ Y cómo llegó aquí antes que nosotros, señor de la Vega ?

CARLOS. — Muy sencillo.   Salí esta mañana temprano de Guayaquil.   Tenía que estar muy temprano en la Hacienda.

JIM. — ¿ Temprano ?   No entiendo bien.   ¿ Es que acaso tú tienes algo que ver con « Arroz, Sociedad Anónima » ?

CARLOS. (*Sonriendo*) — Sí, Jim.   Nosotros los de la Vega, somos « Arroz, Sociedad Anónima ».   En esta Hacienda la mayor accionista [1] es mi tía.   Claro que ella no viene por aquí jamás.

MRS. ADAMS. — Gracias a Dios.   Siquiera eso habremos ganado.

RUTH. — ¡ Mamá !

CARLOS. — Yo soy el que trabaja esta tierra y por eso tengo interés en tecnificar los cultivos según las ideas más modernas.

JIM. (*Sonriendo*) — Entonces ¿ tú eres mi patrón ? [2]   ¿ Tú me conseguiste este trabajo ?

CARLOS. — Eso no, Jim.   Te lo conseguiste tú mismo, con tus méritos.   Claro que cuando el Consulado Ecuatoriano en Nueva York comunicó que venías tú, mi hermana que, desde que llegó de Londres, sólo hablaba de ti, se puso loca de contento.

JIM. — ¡ Qué lástima que ella no esté aquí !   Nos hubiéramos divertido mucho.

MRS. ADAMS. — No digas eso, Jim.   Este no es sitio para las mujeres del Ecuador, ni de ningún otro país.

RUTH. — ¿ Que no ?   A mí me parece muy romántico.

MRS. ADAMS. — ¿ Romántico ?   Pues cualquier día se te va a acabar el romanticismo cuando encuentres una víbora en la cama o un cocodrilo en la tina de baño [3] . . . Y a pro-

---

1. accionista *stockholder*.   2. patrón *employer*.   3. tina de baño *bath tub*.

pósito de baño, necesitamos tomar uno caliente lo más
pronto.

JIM. — Mamá, si quieres bañarte, ahí está el río. Y si quieres
una ducha, te podemos arreglar más tarde una lata ¹ vacía
5 de gasolina, con varios agujeros ² en el fondo.

CARLOS. — No aumentes las dificultades de la señora Adams,
Jim. Aunque tú no lo creas, podemos ofrecerles algunas
comodidades.

JIM. — Lo agradezco mucho por las señoras, Carlos. En
10 cuanto a mí, lo que necesito es trabajar lo más pronto.
Quiero poner en marcha los tractores, limpiar los campos y
comenzar la siembra.³ No estaré tranquilo hasta ver esto
produciendo tanto como debe.

CARLOS. — Tenemos tiempo, Jim.

15 JIM. — Yo, no. Necesito terminar mi tarea ⁴ rápidamente. Y
una vez que esto marche, regresaré a Guayaquil, a ver a
Lola. Es necesario que la vea pronto. (*Deteniéndose con
emoción*) ¿ Cómo está ella, Carlos?

CARLOS. — Anoche la pasó un poco triste. Ahora ya se siente
20 mejor.

JIM. — Después de lo de anoche⁵ tengo aún más razones para
verla.

CARLOS. — ¿ Tienes muchos deseos de verla?

JIM. — ¿ Y me lo preguntas, Carlos?

25 CARLOS. — Pues entonces ¿ por qué pierdes el tiempo?
¡ Llámala !

JIM. — Pero ¿ es que . . . es verdad lo que me dices? ¿ Ella
está aquí?

CARLOS. — Sí. Vino conmigo esta mañana. ¿ No te lo había
30 dicho?

JIM. — No.

CARLOS. (*Con malicia*) — Ah. ¿ En qué pienso? . . . Y bien
¿ por qué tardas? ¡ Llámala !

JIM. (*Gritando*) — ¡ Lolita ! ¡ Lolita !

35 LOLA. (*Asomándose al balcón*) — ¡ Voy ! (*Desaparece del balcón.*)

---

1. lata *can.*   2. agujero *hole.*   3. siembra *planting.*
4. tarea *job, task.*   5. lo de anoche *last night's trouble.*

JIM. — Oye, Carlos.

CARLOS. — ¿Qué?

JIM. — Esta tarea me está gustando más de lo que yo pensaba.

    (LOLA *entra por la puerta de la casa.*)

JIM. (*Dirigiéndose a* LOLA) — El Ecuador es el país de los milagros. Nunca imaginé que te iba a volver a encontrar tan pronto.

LOLA. — ¿No? ¿Y no dices siempre que todo lo que quieres lo consigues? ¿Es que no querías verme?

CARLOS. — No pongas en dificultades a Jim. Y no te olvides de que aquí están la señora Adams y Ruth. ¿Por qué no las saludas?

LOLA. — Perdóneme usted, señora Adams. ¿Cómo ha llegado?

MRS. ADAMS. — Pues no sé cómo, señorita de la Vega. ¡Pero aquí estoy!

LOLA. — Y tú, Ruth, ¿qué tal?

RUTH. — Muy contenta. Por lo que veo, esto va a ser un verdadero paraíso.[1]

MRS. ADAMS. — No olvides, hija, que aún en el paraíso había víboras. Por lo mismo, insisto en que debemos buscar con tiempo la seguridad[2] de una casa. ¿Qué les parece?

CARLOS. — Mrs. Adams tiene razón. Subamos. Ustedes pueden descansar un rato. Entre tanto, si gustan, podemos oír un poco de música.

MRS. ADAMS. — ¿Música? No me va a decir que tiene una radio aquí.

CARLOS. — Sí. Tenemos radio, victrola y un viejo piano que toca Lola, de vez en cuando. Pero hoy les ofrezco algo que les gustará más: los peones[3] de la hacienda han formado su pequeña orquesta,[4] y ellos nos van a tocar unos pasillos.

RUTH. — ¿Pasillos? ¿Y qué es eso?

LOLA. — El pasillo es nuestra música, donde pone su corazón el pueblo ecuatoriano.

---

1. paraíso *Paradise; Garden of Eden.*   2. seguridad *safety, security.*
3. peón *laborer.*   4. orquesta *orchestra.*

JIM. — ¿ Y no podemos bailar ? Ya que anoche no lo hicimos, podríamos aprovechar esta música para hacerlo hoy.

CARLOS. — Me parece muy bien. Los peones tocan valses.[1] Utilizaremos [2] todo el tiempo que tengamos disponible,[3]
5 porque nosotros tenemos que regresar mañana temprano a Guayaquil.

JIM. — ¿ Tan pronto?

CARLOS. — Sí. Debemos ir en la lancha lechera,[4] para llegar antes de que la tía Victoria advierta nuestra ausencia.

10 LOLA. — De todos modos, habrá tiempo de bailar un poco, de preparar alguna comida típica, de darles algunos consejos para que se vayan acostumbrando.

MRS. ADAMS. — Es posible que ustedes estén contentos aquí afuera.[5] Pero insisto en que debemos buscar comodidades,
15 bajo techo y detrás de tela metálica.

CARLOS. — Tiene usted razón, señora Adams. Vamos. (*Llamando con varias palmadas* [6]) Muchachos. Ahora sí. A tocar.

(*Los guitarristas empiezan a salir por la derecha, segundo término.*)

MRS. ADAMS. (*Protegiéndose detrás de* JIM) — ¡ Los salvajes !

CARLOS. — Cálmese,[7] señora Adams. Son los músicos.

20 MRS. ADAMS. (*Respirando con satisfacción*) — Ah ! ¡ Qué miedo tuve !

CARLOS. — Tengan la bondad de subir. Les indicaré el camino.

(*Por la puerta de la casa, salen* CARLOS, RUTH *y* MRS. ADAMS.)

LOLA. — ¿ No tuve razón cuando te dije que mi país era muy
25 bello?

JIM. — Sí, muy hermoso. Aunque debo confesarte que, cuando estás a mi lado, pierdo la idea de lo que me rodea y lo que me parece más hermoso eres tú.

(JIM *toma a* LOLA *de la mano y juntos salen por la puerta de la casa. Durante algunos instantes, la escena sólo tiene a los músicos que tocan un pasillo; por ejemplo, « Sombras »* [p. 59], *o « Alma en los labios », o « Mi último pasillo ».*)

1. vals *waltz.* 2. utilizar *to make use of.* 3. disponible *available.*
4. lechera *that carries the milk.* 5. afuera *outside.*
6. palmada *hand clapping.* 7. calmarse *to become calm.*

Cuando terminan de tocar, se asoman MRS. ADAMS, RUTH *y*
LOLA *al balcón y aplauden.*[1] *Entra* CARLOS *por la puerta.*)

RUTH. — Maravilloso. ¡ Qué sentimiento !

MRS. ADAMS. — Sí. Es mejor que la música de los mosquitos.

CARLOS. — Les tengo otra sorpresa, además. Les dará la impresión de estar en su propia casa. (*A los músicos*) Ahora muchachos.
                                                                        5

(*Los músicos tocan alguna canción del folklore norteamericano,
como, por ejemplo,* « *Beautiful Ohio* » *o alguna obra de
Stephen Foster.*)

MRS. ADAMS. — Ya ve usted. Eso es música. Después de escucharla, tendré más fuerzas para luchar contra los trópicos. Pero ahora, quisiera ver las comodidades que nos ofreció el señor de la Vega.

(*Salen del balcón las tres mujeres. Entra* JIM *por la puerta
de la casa.*)

CARLOS. (*A los músicos*) — Bueno, muchachos. Muy bien y 10
muchas gracias. No olviden venir esta noche. Tendremos

1. aplaudir *to applaud.*

una gran fiesta y ustedes deben preparar lo mejor de su
repertorio.[1] Muchas gracias. Y hasta luego.

> (*Los músicos inclinan la cabeza y después salen por la de-
> recha, segundo término.*)

JIM. — Bien. ¡ Y ahora, a empezar nuestra obra !

CARLOS. — Lo tengo ya todo preparado, Jim.

5 JIM. (*Con entusiasmo*) — ¡ Magnífico ! Tenemos que arreglarlo todo rápidamente. Es posible que la piladora[2]
empiece a trabajar esta semana. Los tractores pueden
trabajar mañana. Hay que tecnificar esto para que rinda.
La tierra es muy buena. Debemos ayudarla para que nos
10 dé todo lo que puede dar.

CARLOS. — Así es, Jim. Me tendrás a tu lado siempre. También quiero que esto se convierta en una hacienda rica.
Sueño con un Ecuador nuevo, rico, próspero. A veces
pienso que somos unos pobres sentados sobre una caja llena
15 de oro. La tradición nos ha estrangulado.[3] Pero con
hombres como tú y como yo, esto va a cambiar.

JIM. — Cultivaremos esta tierra. Traeremos máquinas,
muchas máquinas. La industrialización hizo mi país.
Ojalá que las máquinas también hagan del tuyo una gran
20 nación.

CARLOS. (*Sonriendo*) — Advierto que estamos de acuerdo en
todo. Estoy seguro que la diplomacia de nuestras hermanas
ayudará en el éxito de esta empresa.

JIM. — Tienes razón, Carlos. Lola es tan inteligente y tan
25 linda.

CARLOS. — ¿ Y dónde me dejas a Ruth ? No hay otra mujer
como ella. (*Ambos ríen.*) Veo, Jim, que igual es nuestra
pena.

JIM. (*Sin comprender la frase anterior*) — Yo no tengo ninguna
30 pena. Y si tú me ayudas, voy a tener mucha alegría.

CARLOS. — No es lo que te imaginas, Jim. Cuando te digo
que igual es nuestra pena, quiero expresarte que estamos
en la misma situación. En cuanto a ayudarte, ya te he

---

1. repertorio *repertory, collection of music.*   2. piladora *hulling machine.*
3. estrangular *to strangle.*

dicho que lo haré con todo gusto. Claro que esto es dando
y dando.

JIM. — ¿Dando y dando? No entiendo. ¿Qué es eso?

CARLOS. — Que yo te ayudo con Lola; y tú me ayudas con
Ruth. 5

JIM. — Ya he comenzado a hacerlo. Lo único malo es que
Ruth y mi madre piensan volverse a los Estados Unidos.
No sé si tú sabes que nuestro padre tiene la costumbre de
darnos un año de viaje de recreo al terminar nuestros estudios en la Universidad. 10

CARLOS. — Algo de esto me contó Lola.

JIM. — Fué precisamente durante mi viaje de recreo a Europa
cuando conocí a Lolita en Londres. Y ya que tuve la
oportunidad de venir al Ecuador, mi hermana decidió
acompañarme a Sudamérica en su viaje de recreo. 15

CARLOS. — Entonces lo que tenemos que hacer es convencerla
de que el final de su viaje deba ser Guayaquil.

JIM. — No sé si se acostumbrará aquí.

CARLOS. — ¿No te acostumbras tú?

JIM. — Yo sí, pero es distinto. Estaré aquí poco tiempo 20
hasta que termine mi trabajo, y después Lola y yo volveremos a los Estados Unidos.

CARLOS. — ¿A los Estados Unidos? ¿Llevarla a los Estados
Unidos? Lola no se acostumbrará nunca a los Estados
Unidos. Quiere tanto a esta tierra. Cuando estuvo en 25
Londres, siempre hablaba de volver. Me temo mucho que
tú también tengas que quedarte para siempre en el Ecua-
dor.

JIM. — Creo que lo mejor es que ellas decidan. (*Transición*)
Y ahora quisiera ver las máquinas y después los campos. 30

CARLOS. — Las máquinas están aquí cerca, en un galpón.[1]
Podemos verlas en seguida. Vamos.

JIM. — Vamos.

(*Salen por la izquierda, segundo término.* TORCUATO *entra
por la puerta de la casa. Avanza unos pasos hacia el centro
de la escena. De allí mira hacia la puerta. Entra* UVA-

1. galpón (South American term) *shed.*

LINDA *por ésta.* TORCUATO *empieza a llamar, haciéndole
señas con el dedo.* UVALINDA *mira a todas partes, como
buscando la persona a quien se dirige* TORCUATO. *Es a ella.
A su vez, pregunta por señas si es a ella. Afirma* TORCUATO
que sí y la sigue llamando. UVALINDA, *moviendo las manos,
le pregunta que qué es lo que desea.* TORCUATO *le indica que
quiere estar cerca de ella, cogidos del brazo, muy juntos.*
UVALINDA *se alza de hombros y mueve la cabeza, expre-
sando que nada desea con él. En este momento, aparece en el
balcón* MRS. ADAMS. TORCUATO *se oculta rápidamente,
tras los árboles de la izquierda.)*

MRS. ADAMS. — Uvalinda. Uvalinda.

UVALINDA. — Aquí estoy, señora Adams.

MRS. ADAMS. — ¿ Dónde está el señor Jim ?

UVALINDA. *(Señalando hacia la izquierda)* — Allá va, con don
5   Carlos.

MRS. ADAMS. — Llévale esta botella de citronela[1] para que
evite los mosquitos. Ellos no saben que es ingeniero y que
quiere mucho al Ecuador. Por eso no lo van a respetar.

UVALINDA. — Bien, señora Adams.

    (MRS. ADAMS *le arroja la botella que ella recoge en la falda.*
    MRS. ADAMS *sale del balcón y* UVALINDA *se dispone a salir
    por la izquierda.* TORCUATO *corre tras ella y en pantomima
    continúa la conversación. Le expresa que, desde que la vió, la
    quiere, que desea estar junto a ella.)*

10 UVALINDA. — ¿ Qué le pasa a usted ? ¿ Tiene dolor de estómago ? No me moleste porque tengo que buscar al señor
y darle esto. Se me va a hacer muy tarde. (TORCUATO,
*llevándose las manos a las orejas y a la boca, le indica que es sordo-
mudo.)* Ah. Es verdad. Había olvidado que es sordo-
15   mudo. En fin, me estás dando pena. Vamos. Un favor
se le hace a cualquiera. (*Se empieza a escuchar el ruido de un
avión que se acerca.*) ¡ Qué raro ! Se diría que ese avión
viene para acá. (TORCUATO *se le acerca y la toma del brazo
llevándola para la izquierda.*) Pero ten paciencia, hombre,
20   que hay tiempo para todo. Ten paciencia.

    (*Salen por la izquierda, segundo término. El ruido del avión*

    1. botella de citronela *bottle of citronella oil* (a protection against mosqui-
toes).

se acerca, se acerca. *Se asoman al balcón* MRS. ADAMS, LOLA
y RUTH.)

LOLA. — Miren. Aquí viene un hidroplano.[1]

(*Cesa el ruido del avión.*)

RUTH. — ¿Quién podrá ser?

MRS. ADAMS. — ¿Es así cómo traen la leche higiénica[2]? ¿O
es el cartero[3] que viene a dejar la correspondencia[4]?

LOLA. — No, Mrs. Adams. Francamente ignoro de qué se 5
trata. La leche la tomamos de nuestras vacas.[5] Las tenemos aquí al lado, en el galpón. En cuanto a nuestras
cartas, debemos ir a buscarlas a Samborondón, una pequeña ciudad que está a unos diez kilómetros[6] de aquí.

RUTH. — Parece un avión americano. 10

MRS. ADAMS. — Entonces es del Consulado. Seguramente
tuvieron noticias de que íbamos a morir en la selva y nos
quieren salvar antes de que sea tarde.

RUTH. — ¡Mamá, por Dios!

MRS. ADAMS. — No. No puede ser del Consulado. Está 15
bajando una mujer vestida de negro. En Norteamérica no
nos gusta mucho ese color.

LOLA. (*Después de breves instantes de silencio*) — Si no supiera
el terror que tiene mi tía por todas las máquinas, si no cono-
ciese que no quiere viajar ni en lanchas ni en automóviles 20
... diría que es ella. Pero no. ¿Qué va a ser ella? Ella
preferiría morir antes que viajar en un avión.

RUTH. — Ya viene caminando por el muelle.[7]

LOLA. — Sea quien sea, tengo que ir a recibirla.

MRS. ADAMS. — Yo te acompañaría, pero no quiero exponerme 25
nuevamente a las víboras o los cocodrilos.

RUTH. (*Señalando hacia la izquierda*) — No es necesario que
vaya ninguna de nosotras. Allí vienen ya Carlos y Jim.

LOLA. (*Con angustia*) — ¡Cielos!

MRS. ADAMS. — ¿Qué le ocurre? 30

LOLA. — Que ahora sí estoy segura. Es mi tía. ¡Mírela!

---

1. hidroplano *seaplane.*   2. higiénico *hygienic, pure.*
3. cartero *mailman.*   4. correspondencia *mail.*   5. vaca *cow.*
6. kilómetro *kilometer* (3/5 of a mile.)   7. muelle *dock.*

Ya sacó los impertinentes y nos miró a nosotros. ¿Por qué habrá venido? Debe haberle ocurrido algo muy grave. ¿Será que descubrió nuestra ausencia? Carlos lo había preparado todo tan bien.

5 RUTH. — ¿Vendrá a buscarlos? Mira qué enojada [1] está.

LOLA. — Mejor es que nos retiremos del balcón, hasta que ella se calme un poco.

MRS. ADAMS. — ¿Retirarnos? Yo no le tengo miedo. Es otro peligro de los trópicos, nada más, como los mosquitos.

10 RUTH. — ¡Ojalá que tu flit sirviera en este caso! Adiós proyectos de baile y fiesta para esta noche.

LOLA. — Así es. Mi tía es terrible. Seguramente viene por nosotros y nos llevará a Guayaquil, en ese mismo avión.

RUTH. — Si tú no lo quieres ¿por qué vas a ir? ¿Es que 15 puede obligarte a hacer algo en contra de tu voluntad?

LOLA. — Claro. Es mi tía. Es la cabeza de familia, desde la muerte de mis padres. Sólo en cuestiones de negocios, manda Carlos. En lo demás, sólo ella.

RUTH. — Yo . . .

20 LOLA. — Sé lo que vas a decirme. Es que hay otro asunto, además. Mi tía es muy buena. Nos ha criado a nosotros. Ha hecho de padre y madre para Carlos y para mí. Sólo en un caso extremo le daríamos un disgusto. Además, fuera de sus ideas de otro siglo, es magnífica.

25 RUTH. — Si es así, respeto tus puntos de vista.

LOLA. — Y ahora sí, por favor, retirémonos.

MRS. ADAMS. — Lo hago solamente por usted, Lolita.

LOLA. — Muchas gracias, Mrs. Adams.

(*Entran* CARLOS *y* JIM *por la izquierda.*)

CARLOS. — Lola ¿viste a nuestra tía?

30 LOLA. — Sí, Carlos.

JIM. — Tenemos que hacer algo, rápidamente.

CARLOS. — Sí. Por lo pronto, que las damas se retiren.

RUTH. — Eso íbamos a hacer, cuando ustedes llegaron.

MRS. ADAMS. — Pero yo sí quiero saludar a la señorita Victoria

1. enojado *angry.*

de la Vega. Así me iré acostumbrando a luchar con el
Trópico. Bajaré en seguida.

CARLOS. — Sí. Quizá usted pueda defendernos.

(MRS. ADAMS, RUTH y LOLA *salen del balcón.*)

CARLOS. (*Mirando por todas partes*) — ¿ Y Torcuato? ¿ Dónde
se habrá metido el pájaro ese? Siempre está sentado a la 5
puerta. Y ahora lo necesitamos para llevar las maletas de
la tía Victoria.

JIM. — ¿ Por qué no vamos nosotros?

CARLOS. — ¿ Tú? A ti no ha de quererte ver ni en pintura.[1]
Y después de lo de hoy, creo que a mí tampoco. Es capaz 10
de pegarnos y tirarnos al río. Hay que conocer a la tía
Victoria.

JIM. — Entonces, si no está Torcuato y no podemos ir
nosotros, llamemos a Uvalinda. (*Gritando*) ¡ Uvalinda !
¡ Uvalinda !
15

(MRS. ADAMS *entra por la puerta de la casa.*)

MRS. ADAMS. — Uvalinda no está con nosotros. La envié con
una botella de citronela para ti.

JIM. — ¿ Citronela para mí? Ni siquiera la hemos visto.
Quién sabe dónde se habrá metido. (*Vuelve a gritar, con
más fuerza.*) ¡ Uvalinda ! ¡ Uvalinda !
20

UVALINDA. (*Desde fuera*) — ¡ Voy ! ¡ Voy !

CARLOS. (*Mirando a la izquierda*) — Sí. Allí viene.

MRS. ADAMS. — ¿ Qué es lo que trae? ¿ Un indio salvaje?

CARLOS. — No. Es Torcuato.

(UVALINDA y TORCUATO *entran por la izquierda. La
primera lleva a éste cogido por el cuello de la chaqueta, arras-
trándolo. El estado de* TORCUATO *es lamentable, todo
golpeado y roto.*)

CARLOS. (*Asombrado*) — Bueno ¿ y qué pasó? 25

UVALINDA. — Nada. Que este tipo, como no puede hablar
con la boca, usa demasiado las manos. Y he tenido que
responderle en igual forma.

JIM. — Ya fué tarde para ayudar a tu tía, Carlos. Mírala. No
tiene maletas.
30

---

1. en pintura *painted,* i.e., *dead.*

CARLOS. — Así es. Bueno, Uvalinda, déjanos solos. Y tú también, Torcuato.

(*Toca el hombro a* TORCUATO *y le hace señas de que se vaya.* TORCUATO *sale por la derecha, segundo término, y* UVALINDA *sale por la puerta de la casa.*)

JIM. — Animo y paciencia. Aquí la tenemos.

MRS. ADAMS. — No tengan miedo. Yo una vez luché con un
5 toro salvaje.

JIM. — Mamá, por favor, que ya está aquí.

(*Entra* VICTORIA *por la izquierda, segundo término. Levanta los impertinentes, los mira de pies a cabeza. Después se dispone a pasar al lado de ellos, como si no existieran.* CARLOS *le sale al encuentro.*)

CARLOS. — ¡ Tía ! . . .

VICTORIA. — ¡ Silencio ! ¿ Cómo te atreves a hablarme ?

CARLOS. — Le ruego que me perdone.

10 VICTORIA. — Esto no te lo perdonaré jamás. Y tengo la seguridad [1] de que nuestro abuelo el marqués te lo tendría muy en cuenta.

CARLOS. — Se lo puedo explicar todo . . .

VICTORIA. (*Señalando a* JIM) — ¿ También las acciones de este
15 sinvergüenza ? [2]

MRS. ADAMS. — No llame sinvergüenza a mi hijo, señora mía.

VICTORIA. — ¡ Señorita, señorita ! Todavía no me he casado.

MRS. ADAMS. — Pues pierda la esperanza, porque creo que será difícil que alguien tenga el valor de casarse con usted.

20 VICTORIA. — Eso a usted no le importa. En cuanto a llamar sinvergüenza a este gringo, ése es el único título que merece un hombre como él.

CARLOS. — Cálmese, tía.

VICTORIA. — Cállate, tú. ¿ Y Lolita ? (*A* JIM) ¿ Dónde
25 tiene usted a Lolita ? ¿ Qué ha hecho de ella ?

MRS. ADAMS. — ¿ Qué le va a hacer ? En mi país no hay caníbales, [3] como aquí.

VICTORIA. — Pero sí hay quienes abusen de la hospitalidad de

---

1. seguridad *assurance*.   2. sinvergüenza *shameless person*.
3. caníbal *cannibal*.

una familia digna, para manchar su honra. En fin, no
quiero hablar más de esto. Lo que quiero es que me en-
treguen a Lolita. ¿Dónde está?

CARLOS. — ¿Dónde va a estar, tía? Arriba, en la casa, se
encuentra con Ruth.   5

VICTORIA. — Magnífico. Así iré a verla. Tengo que decirle
muchas cosas. Aprovecharé también para hablarle a la
señorita norteamericana . . .

MRS. ADAMS. — En ese caso, iré con usted. Para decirle algo
a mi hija, tiene que contar conmigo.   10

VICTORIA. — Me da lo mismo. (*A* JIM) En cuanto a usted,
joven gringo, despídase para siempre de Lolita. Haré
todo lo posible para que no la vuelva a ver jamás. Y si
usted trata de verla nuevamente, será peor para ella. Aunque los tiempos han cambiado y ahora es difícil llevar a 15
una niña a un convento, para que tenga la protección de
sus paredes, todavía tengo influencias y amigos en este
país, especialmente cuando se sepa que quiero defender a
mi sobrina de las manos de un bandido [1] . . .

JIM. — Le ruego a usted, señorita . . .   20

VICTORIA. — No me ruegue nada, enemigo de mujeres ino-
centes. Esta vez, no tuvo éxito su plan. ¡ Y ojalá que
cuando salga con mi sobrina no vuelva a tener el disgusto
de verlo.

(VICTORIA *y* MRS. ADAMS *salen por la puerta de la casa.*)

CARLOS. (*Al ver que* JIM *se pasea de un lado a otro, como una fiera* 25
enjaulada[2]) — Hay que tener paciencia, Jim. Mañana,
cuando los ánimos estén más serenos, podemos arreglar
esto.

JIM. — ¡ Mañana, mañana ! No, Carlos. No puedo dejar
nada para mañana. Tiene que ser hoy. Ahora mismo. 30
Necesitamos hallarle una solución a este problema. Ya
escuchaste a tu tía. Amenaza con encerrar a Lola en un
convento.

CARLOS. — Tanto como eso, creo que será difícil, por no decir

---

1. bandido *bandit*.   2. enjaulado *caged*.

imposible. Pero que la tía intentará lo que pueda para separarte de Lola, de eso no me cabe la menor duda.

JIM. — Por eso necesitamos encontrarle una solución a este asunto. Sólo con la seguridad de que no voy a perder a
5 Lola, podré trabajar. Si no, no estaré tranquilo. Tengo que conseguirla, pase lo que pase, a cualquier precio.

CARLOS. — Cuenta conmigo para todo.

JIM. — Gracias, Carlos. Te digo lo mismo. Por lo pronto, ayúdame a pensar.

10 CARLOS. — Pensar, sí, pensar ... Hombre, se me ocurre una idea. (*Transición*) No. Es una idea tonta, imposible.

JIM. — Dímelo. Algo así necesitamos.

CARLOS. (*Como para sí mismo*) — Tú con ella ... Claro. Yo les diré ... Eso es. (*Transición*) No. Se necesita estar
15 loco. Eso no puede ser.

JIM. — ¿ Me vas a decir o no lo que estás pensando ?

CARLOS. (*Dudando*) — Pues, verás tú. Es una solución un poco a la ecuatoriana.

JIM. — No importa, si es una solución.

20 CARLOS. — Pues bien. En nuestros campos, cuando los padres se oponen a la boda, los hombres se roban a su novia.

JIM. — Entonces tú sugieres ...

CARLOS. — Que te robes a Lola.

JIM. — Creo que no entiendo bien.

25 CARLOS. — Es muy fácil. Te la llevas a Samborondón, un pueblo vecino donde hay Registro Civil,[1] cura, y todo lo que haga falta. Una vez casados, tía Victoria tendrá que aceptarte. ¿ Qué te parece ?

JIM. — ¡ Magnífico, colosal ! ¡ Hoopy ! [2] (*Gritando*) ¡ Lolita,
30 Ruth !

RUTH. — Sí, Jim. (*Desde fuera*)

LOLA. — Voy, Jim. (*Desde fuera*)

JIM. (*Gritando*) — ¡ Asómense al balcón, rápidamente. (*Riendo, a* CARLOS) Entre tanto quiero decirte que ésa no
35 es una solución ecuatoriana: es una solución gringa. En

1. Registro Civil *Civil Registry* (where marriages are recorded).
2. ¡ Hoopy ! *Whoopee!*.

mi país, cuando los padres de la novia se oponen, busca-
mos un juez rural.

CARLOS. — Bien.   Entonces voy a buscar unos peones para
que los acompañen y mandar que preparen unos caba-
llos.   5

(CARLOS *sale por la derecha, segundo término.* RUTH *y* LOLA
se asoman al balcón.)

JIM. — Hermanita: cierra la puerta de esa habitación, con
llave.

RUTH. — ¿ De qué se trata?

JIM. — No preguntes nada y obedece.   ¡ Apúrate ! [1]

RUTH. — Voy.   10

(RUTH *sale del balcón.*)

JIM. — Lolita . . .

LOLA. — ¿ Qué?

JIM. — ¿ Quieres casarte conmigo?

LOLA. — Yo . . . este . . .

JIM. — Contéstame.   No podemos perder un minuto. ¿ Quieres 15
casarte conmigo?

LOLA. (*Sencillamente*) — Sí, Jim.

JIM. — Entonces, ¡ vamos a hacerlo en seguida !

LOLA. — ¿ En seguida?   ¿ Estás loco, Jim?

JIM.   No.   Sé exactamente lo que quiero hacer.   Pero no po- 20
demos perder ni un momento.

LOLA. — Pero . . . es que . . .

JIM. — Es lo mejor que podemos hacer, Lola.

LOLA. — Si es así . . . ¡ Lo que tú digas !

JIM. — Salta por el balcón, entonces.   Así no nos cogerá tu 25
tía.

(JIM *se dirige a la ventana.   Toma allí a* LOLA *en sus brazos.*
Se oyen golpes en la puerta de la habitación. RUTH *se asoma*
al balcón.)

RUTH. — ¡ Apúrense !   La puerta es débil.   Y la señorita de
la Vega está muy enojada.

JIM. — Ven tú también, hermanita.   Tú y Carlos van a ser-
virnos de testigos [2] en la boda.   30

1. apurarse *to hurry.*   2. testigo *witness.*

RUTH. — ¿ Ah, sí ? ¡ Qué romántico ! ¡ Voy en seguida !

VICTORIA. (*Desde fuera*) — ¡ Abran la puerta ! ¿ Qué están haciendo ? ¡ Abran !

> (*Se oyen más fuertes los golpes a la puerta.* RUTH, *en tanto, salta por el balcón.* CARLOS *entra por la derecha, segundo término.*)

CARLOS. — Vamos. Vamos corriendo. Ya tengo los caballos
5 preparados. ¡ Vamos !

> (RUTH, LOLA, CARLOS *y* JIM *salen corriendo por la derecha. Casi al mismo tiempo se escucha un ruido de puerta al abrirse. Asoma* VICTORIA *por el balcón.*)

VICTORIA. — Demasiado tarde. ¡ Se escaparon[1] ! (*Se oye el galope de los caballos que se van.*) ¿ Dónde irán a llevar a Lolita ? ¡ Bandido, criminal ! Todos mis sacrificios fueron vanos, hasta el viaje en avión que me tiene medio
10 loca. ¡ Qué sobrina tan ingrata[2] ! ¡ Pero esto no quedará así ! Haré castigar al gringo. ¡ Qué horror ! ¡ Qué mancha ! ¡ Qué diría mi abuelo el marqués, si viviera !

> (*Entra* MRS. ADAMS *por la puerta de la casa.*)

MRS. ADAMS. — ¡ Uvalinda ! ¡ Uvalinda ! (*A* VICTORIA) Voy a perseguirlos. No quiero que su sobrina destruya el por-
15 venir de mi hijo.

> (*Entra* UVALINDA.)

UVALINDA. — ¿ Qué desea, Mrs. Adams ?

MRS. ADAMS. — Un caballo. Buscaré a ese muchacho, antes de que haga a una locura.

UVALINDA. — ¿ Usted ? ¿ Usted salir a la selva ? ¿ No le tiene
20 miedo a los mosquitos, a las fieras, a las víboras ?

MRS. ADAMS. — Después de conocer a esta señora . . . digo señorita, ya no le tengo miedo a nada.

VICTORIA. — ¡ Señora mía !

MRS. ADAMS. — ¡ Cállese ! Usted tiene la culpa. ¿ Por qué
25 no guardó bien a su sobrina ? ¿ Por qué la dejó escaparse con mi hijo ?

VICTORIA. (*Con los ojos en alto*) — Escucha esto, ilustre mar-

---

1. escaparse *to escape, run away.*   2. ingrato *ungrateful.*

qués, abuelo mío. ¡ Ser yo la culpable del crimen del
gringo ! ¡ Era lo único que me faltaba !

(VICTORIA *sale del balcón.*)

UVALINDA. — Señora Adams, espere usted, por favor. Torcuato quiere decirle algo.

MRS. ADAMS. — ¿ Torcuato? ¿ Es que ya puede hablar? Es 5
verdad que las cosas que han pasado aquí son como
para hacer hablar a las piedras. ¿ Qué es lo que él
quiere?

UVALINDA. — Dice que como a usted le ha gustado tanto la
música del país, él quiere darle un recuerdo. Voy a lla- 10
marlo.

MRS. ADAMS. — No es necesario un recuerdo. Jamás olvidaré
el Trópico y sus fieras. ¿ De qué se trata?

UVALINDA. — Mírelo. Allí lo trae. (*Señalando hacia el fondo*)
¡ Cocodrilos !   15

(TORCUATO *entra llevando un cocodrilo en cada mano.*
Avanza hasta el centro de la escena y se los ofrece a MRS.
ADAMS, *con la mejor de sus sonrisas.*)

MRS. ADAMS. — ¡ Socorro !¹ ¡ Socorro !

(*Regresa a la casa chocando* ² *violentamente contra la señorita*
VICTORIA DE LA VEGA *que en ese momento entra por la*
puerta de la casa. MRS. ADAMS *sale por la misma.*)

UVALINDA. — ¿ Por qué huye, Mrs. Adams? Torcuato le
quiere regalar los cocodrilos para que se haga una cartera
o un par de zapatos.

VICTORIA. — Uvalinda, dile al aviador que esté listo ³ para 20
volar a Guayaquil y que ojalá que nos muramos en medio
camino. Ahora sólo quisiera morir.

UVALINDA. — No se vaya, señorita Victoria. Sus sobrinos
regresarán pronto.

VICTORIA. — No me los nombres, por favor. Y si vienen, diles 25
que no los considero miembros de la familia de la Vega, que
no vuelvan a entrar en la casa de los de la Vega, que no
traten de verme más. Ellos ya no son de la familia. La

---

1. socorro *help.*   2. chocar *to collide.*   3. listo *ready.*

única de la Vega soy yo. Nuestro nombre morirá conmigo, pero morirá sin una sola mancha.

(*TELON*)

NOTA: En caso de que no hubiera posibilidad de llevar cocodrilos pequeños vivos a la escena, se pueden presentar los mismos hechos en cartón piedra [1] *o, como última posibilidad, se puede sugerir la presencia de* TORCUATO *detrás de las bambalinas.* [2]

1. cartón piedra *cardboard*.　　2. bambalina *wing* (of the stage).

III

Sala de recibo[1] de una clínica de lujo,[2] en Guayaquil. Puerta lateral derecha, que da a la habitación donde están Lolita y su nena.[3] Puerta lateral izquierda, que da al exterior.

Al levantarse el telón, están en escena TORCUATO *y* UVALINDA.

UVALINDA. — Sólo tú sigues feliz, tontito. (TORCUATO *sonríe.*) No te das cuenta de nada. (TORCUATO *niega con la cabeza.*) No oyes ni hablas y, sobre todo, no tienes una tía mala para causar dificultades. No sé cuándo se morirá, para que nos deje en paz. (TORCUATO *extiende las manos, intentando* 5 *abrazarla. Ella se defiende, separándose un poco.*) Esto es lo único que sabes. Lo que te falta de lengua, te sobra de manos. (*Transición*) Desgraciadamente, no tengo tiempo para eso, hijo mío. (TORCUATO *empieza a rogarle por señas, que vayan afuera y que estén los dos juntos. Ella niega, también por* 10 *señas. Después, en la misma forma, con pantomima, trata de indicarle que vienen* LA SEÑORA ADAMS *y* RUTH, *por avión.*) ¿ Por qué no puedo indicarle que vienen en avión la señora Adams y la señorita Ruth? (*Insiste en su pantomima y entonces* TORCUATO *da a entender por señas que ha comprendido. Imita a* 15 LA SEÑORA ADAMS, *a* RUTH *y al avión.*) Sí. Vienen a ver a la nena de la señorita Lola y del señor Jim. (*Con las manos le indica la nena, como arrullándola.*[4] *Después, siempre en pantomima, le indica que van a llevarla por avión.*) La llevarán en avión. Y yo me iré con ellos. (*Lo indica por señas.*) Tú no irás. Te 20

1. sala de recibo *reception room.*   2. clínica de lujo *luxurious hospital.*
3. nena *baby.*   4. arrullar *to rock.*

41

quedarás aquí.   (*Se lo indica por señas.   El indica que sí.*)   No.
Tú . . . ¡ no !   ¿ Para qué vas a ir, si no sirves para nada ?
(TORCUATO *le pregunta por señas si él se quedará.   Al responderle*
ella que sí, su rostro expresa dolor.   UVALINDA *lo mira con cariño.*)

5   Está bien.   No me iré.   Me quedaré contigo.   Buscaremos
un cura que nos case como Dios manda y después no nos
separará nadie.   ¿ Qué puedes hacer en el mundo, tú que
eres sordomudo con tantos instintos [1] malos ?   Pobrecito.
Ven, ahora sí, a mis brazos.   (TORCUATO *se arroja a ellos,*

10   *en el momento en que se escucha la voz de* LOLA, *gritando.*)

LOLA.   (*Desde fuera, gritando*) — ¡ Uvalinda !   ¡ Uvalinda !

UVALINDA. — ¡ Voy, señorita Lola !   (*A* TORCUATO) Ahora
sí, vete, que me están llamando.   (TORCUATO, *que no ha oído*
nada, no quiere soltarla.)   Pero ¿ no oyes que me están

15   gritando ?   ¡ Ah !   Es verdad.   A ti no te sacude ni un
cañonazo.[2]   ¡ Suéltame !   ¡ Suéltame !

> (*Se escapa de él, con gran esfuerzo.*   TORCUATO *la mira*
> *atónito, sin comprender.*).   ¡ Vete !   (*Empieza a empujarlo,*[3]
> *a empujarlo hacia la puerta lateral izquierda.   El, por señas,*
> *le pregunta lo que está ocurriendo, ella le contesta que la*
> *señorita* LOLA *la está llamando y que va a venir.*   TORCUATO,
> *entonces, comprende y se queda junto a la puerta lateral.*
> LOLA *entra por la derecha.*)

LOLA. — ¿ Por qué no me respondías, Uvalinda ?   ¡ Oh !
¿ Qué hace aquí Torcuato ?

UVALINDA. — Es que . . . don Carlos dejó a éste cuando fué

20   al aeropuerto [4] en compañía del señor Jim, a recibir a la
señora Adams y la señorita Ruth.

LOLA. — Pero no tiene que quedarse aquí dentro.

UVALINDA. — Es que yo le estoy dando clases . . .

LOLA. — ¿ Clases ?

25   UVALINDA. — Sí.   Lenguaje [5] de manos.

LOLA.   (*Con malicia*) — Ah, sí, de manos . . . Claro que me
parece que esto es muy público.   Debes buscar un sitio
más reservado que esta sala de recibo de una clínica.

UVALINDA. — Así lo haré la próxima vez, señorita Lola.   (*A*

---

1. instinto *instinct*.   2. cañonazo *cannon shot*.   3. empujar *to push*.
4. aeropuerto *airport*.   5. lenguaje *language*.

TORCUATO, *que ha estado esperando en la puerta, sin comprender*)
¿Y tú qué esperas para irte? Ya ves en las dificultades en
que me has metido. (*Trata de indicarle esto, por medio de
gestos.* TORCUATO *parece comprender y sale por la puerta de la
izquierda.*) 5

LOLA. — No está bien lo que haces, Uvalinda. En lugar de
cumplir con tu deber, estás perdiendo el tiempo con este . . .
estudiante. ¿Hiciste mi encargo? ¿Le llevaste la carta a
mi tía?

UVALINDA. — Sí. Aquí está. (*Saca la carta y se la entrega.*) 10

LOLA. — ¿Qué? ¿Tendré por fin una contestación, después
de este año de silencio?

UVALINDA. — No, señorita. Me pasó lo de todos los días.
Esta carta es la misma que llevé. Tampoco hoy quiso verla,
ni abrirla . . . ¡ni recibirla siquiera ! 15

LOLA. — Entonces ¿todavía no sabe nada de mi nena?

UVALINDA. — Eso sí. Como siempre, hablé con el portero.[1]
Hoy me dijo que todos los días lo manda a esta clínica a
preguntar por usted y por la niña.

LOLA. — Pobrecita tía. Tan buena, pero con tanto orgullo. 20
Morirá sin rendirse. Tengo la seguridad de que está loca
por verme y, sobre todo, por ver a la niña. Me imagino
que no ha de poder ni dormir, ni hacer nada pensando en
esto. ¡Que haya una persona que tenga sangre de los de
la Vega y que ella todavía no la conozca ! Ha de estar 25
llena de dolor y de angustia. Pero su orgullo lo impide.
(*Como para sí misma*) Lo único que puede hacerla cambiar
es . . .

UVALINDA. — ¿Qué?

LOLA. — No, nada . . . Algo que estaba pensando. (*Pausa*) 30
¿Y cumpliste mi otro encargo?

UVALINDA. — Sí. Le dije al portero que le hiciera saber a su
tía que hoy venían la señora Adams y la señorita Ruth, con
el objeto de llevarse a la niña a los Estados Unidos.

LOLA. — Le pediste que esto se lo dijera como un rumor que 35
él había recogido en la Clínica ¿verdad?

1. portero *janitor.*

UVALINDA. — Claro, señorita Lola. Yo no soy tan tonta. Además, el portero me tiene mucha simpatía.[1]

LOLA. *(Con malicia)* — ¿También es tu estudiante?

UVALINDA. — No, señorita Lola. Ese me puede dar clases a
5   mí. Yo sólo tengo un estudiante que es Torcuato y lo enseño a él porque me da mucha pena.

LOLA. — A mí de quien me da pena es de Ruth y Carlos. Eso anda muy mal.

UVALINDA. — ¿Muy mal? Y entonces ¿por qué don Carlos
10 recibe cartas todos los días de la señorita Ruth? Esta mañana bailaba de contento, cuando fué al aeropuerto.

LOLA. — No es por eso. De quererse, ellos se quieren ahora más que antes. La dificultad está en mi tía.

UVALINDA. — En toda dificultad está ella.

15 LOLA. — ¡Uvalinda! ¡Uvalinda! Más respeto. Yo lo entiendo muy bien. No es su culpa. Estoy segura que debe estar ansiosa de hacer lo que pueda para evitarle sufrimientos [2] a Carlos, a quien quiere como a un hijo. Lo que le impide hacerlo es el orgullo de su sangre, de su familia,
20 que es más fuerte que su voluntad. Ya ves lo que pasó con nuestro matrimonio.

UVALINDA. — ¿Quiere decir cuando por poco se muere su tía? ¿Cuando estuvo tres meses en cama?

LOLA. — No me lo recuerdes, que ésa es una memoria triste
25 para mí. Y pensar que no permitió ni que la viéramos durante su enfermedad diciendo que lo que queríamos era gozarnos con su agonía.

UVALINDA. — Sin embargo, el portero me contó que ni un solo día dejó de preguntar por ustedes; cuando estaban
30 esperando la nena, se quejaba siempre de no estar a su lado para evitar las locuras que usted seguramente cometería y que harían daño a la que iba a nacer.

LOLA. — Por eso Carlos no quiere repetir con Ruth lo que hicimos Jim y yo. Dice que no se casará sin el permiso de
35 la tía, que no quiere causarle nuevos sufrimientos, porque para él ella es lo mismo que si fuera una madre. De tal

---

1. tener simpatía *to like* (a person).   2. sufrimiento *suffering*.

modo que, si no hacemos algo, la pobre Ruth se va a quedar para vestir santos.[1]

UVALINDA. — Yo, por mi parte, le he puesto una vela a San Jacinto que dicen que hace milagros.

LOLA. — Pero al que madruga,[2] Dios lo ayuda. Y por eso estoy preparando un pequeño complot.[3]

UVALINDA. — ¿Complot? ¿Con quién?

LOLA. — No te lo puedo decir. Es un secreto entre la nena y yo. Y como ella no puede hablar y yo no quiero hablar (*Riendo*) creo que estará bien guardado.

UVALINDA. — Usted está muy contenta hoy, a pesar de todo.

LOLA. — ¿Cómo no estarlo, Uvalinda? En primer lugar, viene la mamá de Jim que, desde que me casé con él, ha sido una verdadera madre, con sus muchas atenciones, sus consejos, y regalos; además, viene Ruth y esto va a alegrar mucho a mi hermano Carlos. Por último . . .

UVALINDA. — ¿Qué?

LOLA. — Eso tampoco te lo puedo decir, porque es parte del secreto. Pero hay una cosa que sí puedo decirte y es . . .

(MRS. ADAMS, RUTH *y* CARLOS *entran por la izquierda.*)

CARLOS. — Aquí están las viajeras, Lolita.

LOLA. (*Se arroja en brazos de* MRS. ADAMS.) — ¡Cuánto gusto, mamá! No sabe con cuánta ansiedad[4] la esperábamos. Esta última semana, Jim sólo hablaba de usted. A propósito ¿dónde está él?

CARLOS. — Se quedó despachando las maletas porque Mrs. Adams no quiso esperar. Regresará en seguida.

LOLA. (*Abrazando a* RUTH) — ¿Y tú? ¿Cómo has llegado?

RUTH. — Muy bien. Feliz de estar otra vez en el trópico.

MRS. ADAMS. — ¿Y dónde está la nena? ¿La tienen bien protegida[5] con tela metálica? ¿Todavía no ha sufrido a causa del clima?[6] ¿Dónde está? Quiero verla inmediatamente.

UVALINDA. — Por usted no ha pasado un día, Mrs. Adams.

---

1. quedarse para vestir santos *to be an old maid.*
2. madrugar *to get up early.*   3. complot *plot.*   4. ansiedad *anxiety.*
5. protegido *protected.*   6. clima *climate.*

MRS. ADAMS. (*Reparando en ella*) — Uvalinda, ¿ qué tal? Con el deseo de ver a mi nieta [1] no había reparado en ti. ¿ Cómo estás?

UVALINDA. — Muy bien, para servirle. Muchas gracias.

5 RUTH. — ¿ Cómo te va, Uvalinda?

UVALINDA. — Muy bien, señorita Ruth. Usted está cada día más linda.

RUTH. — ¡ Qué Uvalinda! ¿ Y tu amigo Torcuato? ¿ Lo ves siempre, todavía?

10 LOLA. — Ahora le está dando clases.

MRS. ADAMS. — ¿ Clases?

LOLA. — Sí. Y parece que el muchacho no pierde el tiempo. ¿ No es así, Uvalinda? A propósito, si quieres continuar en ello, puedes hacerlo.

15 UVALINDA. — Muchas gracias, señorita Lola. Con el permiso de ustedes.

(UVALINDA *sale por la derecha.*)

MRS. ADAMS. — Y bien, ¿ hasta cuándo espero? ¿ Es que esto también lo vamos a dejar para mañana como todas las cosas aquí?

20 RUTH. — Por favor, mamá. Ten un poco de calma.

MRS. ADAMS. — ¿ Calma? Después de viajar cinco mil kilómetros en dos días para venir al fin del mundo, a exponerme otra vez a todos los peligros del trópico, sólo por ver a mi nieta, tú me pides calma. Tengo que verla inmediatamente.

25 Siquiera viéndola me consolaré de ser abuela tan joven.

LOLA. — Usted no ha cambiado nada, Mrs. Adams. Vamos, pues.

CARLOS. (*A* RUTH) — Tú no estarás tan impaciente ¿ verdad?

30 RUTH. — ¿ Cómo no voy a estarlo, si soy su tía?

CARLOS. — Pero preferirás verla más tarde, cuando esté despierta.[2] ¿ No es así?

RUTH. — No. Yo también quisiera verla ahora mismo.

CARLOS. (*Insistiendo*) — Con tantas personas habrá mucho
35 ruido y confusión en el dormitorio.[3] Es mejor que la veas

1. nieta *granddaughter.*　　2. despierto *awake.*　　3. dormitorio *bedroom.*

más tarde, cuando la abuela haya visto a la nieta. Lleva a
Mrs. Adams, Lola. Yo me ocuparé de divertir a Ruth.

LOLA. (*Riendo*) — Si tu deseo es hacer ese sacrificio no me
opongo. Con el permiso de ustedes. (*Se inclina un poco
cortésmente.*) ¿Vamos, mamá? Allá, al lado de mi cama, 5
tengo la nena. Está durmiendo en el coche que usted
mandó. Sólo esperábamos su llegada, para salir de esta
clínica.

MRS. ADAMS. — Han hecho muy bien. Ya que no quisieron
tener a la niña en los Estados Unidos, siquiera debían tomar 10
todas las precauciones necesarias. Hay mucho peligro en
tener un hijo así, casi en plena selva.

RUTH. — ¡Mamá! Hay muchas madres que los tienen aquí.

MRS. ADAMS. (*Sin prestar atención*) — Por eso le dije a Jim que
no te dejara salir hasta que llegáramos. Así partiremos de 15
aquí al aeropuerto. ¿Podríamos conseguir un automóvil
con tela metálica?

LOLA. — Podríamos intentarlo. De todos modos, usted no
sabe cuánto le agradezco todas sus bondades, todo lo que
usted ha hecho por mí y por mi hija. 20

(*Salen por la derecha* MRS. ADAMS *y* LOLA.)

CARLOS. (*Mirando a* RUTH *con cariño*) — Por fin, querida [1] mía,
estamos solos.

RUTH. — ¿Solos?

CARLOS. — Lo más solos que hemos podido estar desde que
llegaste. En el aeropuerto, no pudimos hablar; en el 25
automóvil, menos. Tenemos que aprovechar estos instantes. Tu hermano va a llegar de un momento a otro.
Y tengo tantas cosas que decirte. Imagínate. Ha pasado
un año sin vernos. ¡Lo que [3] he esperado esta hora!

RUTH. (*Pensativa*) — Te aseguro que en este año de ausencia 30
no podía ver nada que no me recordase los trópicos. Una
palmera, una puesta de sol [2] llena de color, la luna . . . todo,
todo me hacía pensar en este país que es el tuyo.

CARLOS. — Y yo ¡cuánto deseaba verte! Si ustedes no hu-

---

1. querida *dear, darling.*   2. puesta de sol *sunset.*   3. Lo que *How.*

bieran venido, yo habría hecho un viaje a los Estados
Unidos. Mi vida sin ti, ya no tiene objeto. Eres parte de
mí mismo. Cuando he pensado que podría perderte, me
ha parecido que quedaba sin saber qué hacer.

5 RUTH. (*Con ansiedad*) — ¿ Quieres decir que tu tía ha cambiado de opinión?

CARLOS. — Desgraciadamente, no. Mi tía está cada vez más
firme. He tratado de verla. No me ha recibido. Le he
enviado cartas y embajadores.[1] Apenas se ha enterado del
10 asunto que iban a tratarle, los ha despedido inmediatamente.

RUTH. — La última vez que me hablaste por teléfono de larga
distancia, me dijiste que tenías una aliada.[2]

CARLOS — La tengo todavía; aun no la he utilizado.

RUTH. — ¿ Por qué?

15 CARLOS. — Las circunstancias no han sido favorables, aún.

RUTH. (*Con cierta tristeza*) — No tenemos mucho tiempo,
Carlos. Tú sabes que esto no puede continuar así. Mi
padre está enfermo y tenemos que regresar pronto. Lo
que sea, tendrá que ser . . . dentro de esta misma semana.

20 CARLOS. — Es más de lo que te pido. Mi plan resultará . . .
quizás hoy mismo.

RUTH. — ¿ Y por qué no me cuentas tu plan?

CARLOS. — Tú sabes que a mí me gustan las sorpresas.

RUTH. — En aquella sorpresa una vez nos fué muy mal.
25 ¿ Recuerdas? Cuando estábamos todos contentos y felices,
cayó tu tía como una tempestad[3] y lo echó todo a perder.[4]

CARLOS. — Si cae ella por aquí, no me importa que venga
como dos tempestades, porque esto significaría que mi aliada
ha empezado a ayudarme.

30 RUTH. — ¿ Tu aliada? ¿ Es joven o vieja? ¿ Tengo motivos
para estar celosa[5] de ella o no? Tanto me hablas de esa
aliada que ya tengo curiosidad por conocerla. ¿ Me vas a
decir o no quién es ella?

CARLOS. — Veo que tengo que rendirme. Mi aliada . . . ¡ es
35 esa nena que está allá adentro !

---

1. embajador *ambassador*.   2. aliada *ally*.   3. tempestad *storm*.
4. echar a perder *to spoil*.   5. celoso *jealous*.

RUTH. (*Con tristeza*) — Confías demasiado en ella. Observa que tiene quince días de nacida[1] y la tía no ha venido aún por aquí. ¿Cómo va a venir ahora, que estamos nosotras, con la rabia[2] que le tiene a mi mamá?

CARLOS. — Sin embargo, no pierdo la esperanza. (*Con pasión*) No puedo perder las esperanzas, Ruth. Te quiero demasiado. Te aseguro que si no supiese que casarme contra su voluntad podría matarla, ya lo habría hecho. Te quiero demasiado. Te necesito tanto, como al aire que respiro. ¿Para qué te voy a contar lo que he sufrido en este tiempo, sin verte, sin oírte, sin tenerte cerca?

RUTH. — Yo también te quiero, Carlos. ¡ Ojalá que nunca tengas que elegir entre mí y tu tía ! Pero no puedo esperar mucho. Este año ha sido para mí lleno de dificultades y problemas. No podría resistir otro año así. Por eso acompañé a mi madre, para decirte que, si no podemos casarnos en seguida, debemos decirnos adiós. Así nos evitaremos más tristezas.

CARLOS. — Eres tan buena como bella, Ruth mía. (*Se acerca y la abraza.*) Ojalá que no tengas que esperar más. Pronto verá la tía Victoria cuánto nos amamos y cesará de oponerse.

RUTH. — Que se cumplan tus palabras, Carlos.

CARLOS. — ¡ Ruth, Ruth mía ! (*La besa largamente y con pasión.*)

(*La tía* VICTORIA *entra por la izquierda. Lleva los impertinentes en la mano. Avanza hasta el centro de la sala. Los mira a* CARLOS *y a* RUTH, *que no se han dado cuenta de la presencia de ella.*)

VICTORIA. — ¡ Qué horror ! ¿ No me engañan mis ojos?

RUTH. (*Volviéndose con sorpresa*) — ¡ Tu tía !

CARLOS. — ¡ Mi tía !

VICTORIA. — ¿ Es posible, Carlos, que tú también hagas eso? ¿ Es que ya sigues el ejemplo de los gringos?

CARLOS. — ¡ Cuánto me alegra verla, tía !

VICTORIA. — Silencio, sinvergüenza. ¿ Cómo te atreves a dirigirme la palabra?

CARLOS. — Puedo explicarle . . .

---

1. tiene quince días de nacida *she's two weeks old.*   2. rabia *rage.*

VICTORIA. — No me expliques nada. No he venido por ti, ni por ninguno de ustedes. Pueden hacer lo que quieran, que me tienen sin cuidado. Yo he venido por la niña. Tengo miedo de que se la roben, así como me robaron a Lolita.

5 CARLOS. — No hable así, tía.

VICTORIA. — Hablo como me da la gana. ¿Dónde está la niña?

CARLOS. — Aquí, al lado.

VICTORIA. — Voy a verla, entonces.

10 CARLOS. — Es que . . . allí está Mrs. Adams.

VICTORIA. — ¿Ya está aquí esa gringa horrible? Bueno, entonces no entro. Pero que me traigan en seguida a la nena.

CARLOS. — Con todo gusto, tía. Vamos, Ruth. Va a empezar a ayudarme mi aliada.

15 VICTORIA. — ¿Aliada? Eso quisieran ustedes. Yo estoy sola contra todos.

> (CARLOS *y* RUTH *salen por la derecha. En tanto,* VICTORIA *se pasea de un lado para otro, como una fiera enjaulada, mirando con los impertinentes cuanto la rodea. Después de breves instantes, entra* LOLA, *por la derecha. Empuja un cochecito, donde está la nena. Al verla entrar,* VICTORIA *avanza hacia ella y* LOLA *va a arrojarse en sus brazos.*)

LOLA. — Tía querida.

VICTORIA. — Lolita. (*Va a abrazarla. Transición. Levanta los impertinentes mirándola con una mirada fría, que detiene a* LOLA.)

20 ¿Cómo se atreve usted a acercárseme? ¿Es que no tiene vergüenza?

LOLA. — Pero tía, si yo . . .

VICTORIA. — Cállese y váyase. Sólo he venido por la nena. Déjeme sola con ella.

25 LOLA. — Si yo soy la madre.

VICTORIA. — ¿A mí qué me importa? También tengo derecho a verla, porque también es mi sangre, la noble sangre de los de la Vega. No me haga perder el tiempo y la paciencia. ¡Váyase!

30 LOLA. — Francamente, tía, yo creí que, con el nacimiento [1] de la niña, no quedaría tan duro tu corazón.

---

1. **nacimiento** *birth.*

VICTORIA. — ¿ Y quién dice que tengo el corazón de piedra ?
Ignora los esfuerzos que he hecho para contenerme y no
venir a buscar a esta niña desde el día en que nació. Pero
una cosa es el corazón y otra el honor. Nunca olvidaré que
se casó contra mi voluntad, . . . y con un gringo. 5

LOLA. — Eso ya ha pasado, tía. Es tiempo de perdonar.

VICTORIA. — Mi abuelo el marqués no hubiera perdonado
nunca un hecho como éste. Y yo no soy menos que mi
abuelo. Y ahora sí: váyase. Tengo impaciencia por 10
hablar con esta de la Vega . . . (*por la niña*) que todavía no
tiene mancha.

LOLA. — Está bien, tía. Me voy.

(LOLA *sale por la derecha.*)

VICTORIA. (*Acercándose al coche y mirando con cariño a la nena*) —
¡ Qué linda eres ! Se nota que eres una verdadera de la 15
Vega. Tienes los ojos de mi abuelo el marqués. Y la boca
llena de orgullo de mi abuela. ¿ Y tus manos ? Son largas
y aristocráticas, como las de todos mis antepasados. No
hay duda que nuestra sangre ha vencido a la de los gringos.
¿ Qué ? ¿ No te ha gustado ? ¿ Por qué me haces esas 20
muecas ? [1] ¿ Es porque te van a llevar ellos a Gringolandia ? [2] Pierde cuidado, niñita. Tendrán que pasar
sobre mi cadáver [3] antes de conseguirlo. Tú eres de esta
tierra y tendrás que quedarte aquí, con tu abuelita. Porque
yo soy tu abuelita ¿ sabes ? Yo soy el más viejo miembro de 25
la familia de la Vega, la única que cuida del honor y del
nombre.

(*Entra* MRS. ADAMS, *por la derecha.*)

MRS. ADAMS. — ¿ Hasta cuándo va a quedarse aquí sola con
la niña ? Me dijeron que usted quería verla por un instante. Pero ya ha pasado mucho tiempo. 30

VICTORIA. — ¿ Quién tiene más derecho que yo que soy su
abuela ?

MRS. ADAMS. — ¿ Su abuela ? ¿ Es que usted se ha vuelto loca ?

1. mueca *grimace, face.*   2. Gringolandia *Gringoland, The United States.*
3. cadáver *dead body.*

Aquí no hay más abuela que yo. Usted no es más que una simple tía.

VICTORIA. — Abuela o tía, lo cierto es que a mí no me la quita nadie. (*Se inclina hacia el coche como para tomar a la nena.*)

5 MRS. ADAMS. — No se acerque, por favor. ¿Nunca ha oído hablar de la higiene?[1] ¿No sabe que las personas de edad no deben acercarse a los recién nacidos?[2]

VICTORIA. — No faltaba más: que usted me venga a enseñar cómo se cría a los niños.

10 MRS. ADAMS. — ¿Por qué no? ¡Usted nunca tuvo hijos!

VICTORIA. — En cambio, me tocó criar a Lola y Carlos. Ellos no fueron hijos de mi carne, pero lo fueron de mi corazón. Además, ¿a usted qué le importa?

MRS. ADAMS. — Me importa mucho. Yo quiero sacar a la
15 nena de este infierno verde y no me gustaría que viajara enferma a los Estados Unidos.

VICTORIA. — ¿Llevársela a los Estados Unidos? ¿Es que también quieren robársela, como me robaron a Lolita? ¡Gringos! ¡Amigos de lo ajeno!

20 MRS. ADAMS. — ¿Amigos de lo ajeno? ¿No es la hija de mi hijo? ¿No es la nieta de mi corazón? (*Marcándole las palabras*) Además, no los he abandonado un solo instante, ni a ella ni a sus padres. Tomando en cuenta que estaban en un país tan lleno de peligros, siempre les mandaba todo
25 lo necesario para protegerlos. En cambio otras personas los olvidaron durante un año; ni siquiera los perdonaron. Y ahora dicen que son su sangre. Permítame usted que me ría, señora de la Vega.

VICTORIA. — Señorita de la Vega. Señorita.

30 MRS. ADAMS. — Me da igual. Jejejé.[3] . . . ¿Todavía cree usted que tiene algún derecho?

VICTORIA. — Claro que sí. ¿Ha mirado bien a la nena?

MRS. ADAMS. (*Con sorpresa*) — Sí. ¿Por qué?

VICTORIA. Mírela bien. (MRS. ADAMS *se acerca y la mira.*) ¿No
35 es una de la Vega? Esos ojos ¡son los ojos de mi abuelo el

---

1. higiene *hygiene; laws of health.*   2. recién nacido *newborn* (*baby*).
3. jejejé *Heh heh* imitating laugh of older person.

marqués! Esa boca ¿cree usted que si no fuera de la familia de mi abuela, podría mostrar tanto orgullo?

MRS. ADAMS. — Sólo ustedes los latinos son capaces de creer en semejantes tonterías.[1] Todos los nenes son iguales.

VICTORIA. — Serán iguales todos los nenes gringos. Pero sea 5 como sea, el asunto es que ustedes no se llevarán a la nena.

MRS. ADAMS. — ¿Quién lo impedirá?

VICTORIA. — Yo.

MRS. ADAMS. — Permítame que me ría nuevamente. Jejejé. 10

(*Entra* JIM *por la izquierda.*)

JIM. (*Al ver a* VICTORIA *su rostro muestra su alegría y se acerca a ella con los brazos abiertos.*) — ¡Tía Victoria!

VICTORIA. (*Sacando los impertinentes y mirándolo de pies a cabeza*) — Un momento, señor gringo.

JIM. — Pero tía... 15

VICTORIA. — ¿Es verdad que usted piensa llevarse a la niña?

JIM. — ¿Por qué no? He terminado mi trabajo aquí. Debo regresar a los Estados Unidos. Lo más natural es que lleve conmigo a mi familia.

VICTORIA. — Para los gringos, lo más natural es llevarse lo 20 que no es suyo.

JIM. — Francamente, tía Victoria, no entiendo bien lo que usted quiere decir.

MRS. ADAMS. — Lo que ella quiere es quedarse con la niña, para criarla aquí, entre cocodrilos y víboras. 25

VICTORIA. — Lucharé por todos los medios, contra todos, si es preciso, para lograrlo. Nadie me quitará a la nena. Me la llevaré. Esto es. Me la llevaré ahora mismo.

(VICTORIA *toma el coche por un lado y quiere arrastrarlo hacia la izquierda.* MRS. ADAMS *toma el coche por el otro extremo y empieza a tratar de llevarlo hacia la derecha.*)

MRS. ADAMS. — ¿Llevársela? No perdamos tiempo, Jim. De-bemos llamar inmediatamente a un médico. Esta mujer 30 ha perdido la razón.

JIM. — Pero ¡tía Victoria! ¡Mamá! ¿No se dan cuenta de

1. tontería *foolishness.*

lo que están haciendo? ¿Es que quieren hacer daño a la nena?

VICTORIA. (*Enojada*) ¡Gringa ladrona! ¡Tonta!

(*Hay un breve rato de silencio, en el que luchan las dos mujeres, tratando de llevar el coche, de un lado para el otro. Al fin, JIM interviene y toma el coche por el centro, para evitarle movimiento, y grita.*)

JIM. — ¡Lolita, Ruth, Carlos! ¡Vengan, por favor!

(*Por la derecha, entran* RUTH, LOLA *y* CARLOS.)

5 LOLA. — ¡Pero, tía! ¿Cómo es posible que usted haga eso?

VICTORIA. — ¡Cállate, mujer falsa a tu sangre y a tu casta!

LOLA. (*A* MRS. ADAMS) — Entonces, usted, mamá ¡cálmese!

VICTORIA. — Sólo eso me faltaba oír. ¡Que le dijeras mamá a la gringa!

10 MRS. ADAMS. — Pídeme cualquier otra cosa, hija mía. Pero lo que es a la nena, no la suelto.

LOLA. (*Mirando, de pronto, a la nena, con atención*) — Ven, Ruth.

RUTH. (*Acercándose*) — ¿Qué?

LOLA. — ¿No le notas algo extraño a la niña?

(*Al oír esto, tanto* MRS. ADAMS *como* VICTORIA, *se detienen y sueltan el coche. En sus rostros se lee la preocupación.[1]*)

15 RUTH. — Es verdad. ¿Qué le habrá pasado? Está pálida. (*Le toca la frente.*) Tiene la frente caliente.

MRS. ADAMS. — Allí tienen los resultados de tener un niño en los trópicos. Lola ¿por qué no lo tuviste en los Estados Unidos?

20 LOLA. — Es demasiado tarde para lamentarse.[2]

VICTORIA. — Sí. Lo que debemos hacer es buscar un médico.

MRS. ADAMS. — No es necesario. Ruth tomó un curso de Nurse-Training. Tiene experiencia.

RUTH. — Voy a darle una receta.[3] Puede ser algo de cui-

25 dado.

VICTORIA. — Démela. Puedo obtener que la preparen en seguida. ¡Pobrecito angelito! ¡Y yo que la he estado moviendo de un lado a otro! No me lo perdonaré nunca. (*A* RUTH) ¿Es grave?

---

1. preocupación *worry*. 2. lamentar *to be sorry*. 3. receta *prescription*.

RUTH. — Puede ser. (*Se dispone a escribir la receta.*) Por ahora, lo que necesita es reposo [1] y calma.

VICTORIA. (*Con tristeza*) — Yo soy la culpable de todo.

MRS. ADAMS. — Es lástima que con su confesión no podamos curar a la nena.

VICTORIA. (*Sin escucharla*) — Mi orgullo destruyó la felicidad de Lolita, sin considerar que iba a tener una nena. Y por último, he venido a agitar a la pobre enfermita. Es el orgullo, este orgullo de los de la Vega que me ha tenido ciega.

MRS. ADAMS. — Menos mal que lo ha advertido a tiempo. Pero ahora lo importante es la nena.

VICTORIA. — Tengo que reparar el daño que causé. Hace tiempo que lo deseo. Ha habido noches en que, sin poder dormir, desesperada,[2] lo que quería era venir a abrirles los brazos a todos. El orgullo de mi familia me lo impedía. Vestida, lista para venir a verlos ... quedaba en mi habitación, llorando sola. Esto pasó. Cuando llega la hora, los de la Vega también sabemos cumplir. Señora Adams ¿ quiere perdonarme ?

MRS. ADAMS. — ¿ No cree usted que yo también debo pedir perdón ? Mi genio no siempre es agradable.

VICTORIA. — Hijos míos ¿ quieren perdonarme ?

MRS. ADAMS. — ¿ Quiere usted callarse, señorita de la Vega ? Aquí todos necesitamos ser perdonados.

(*Hay un instante en que todos se abrazan.*)

VICTORIA. — Bien. Dejemos esto, ahora. Aunque tengo el corazón lleno de dicha, hay algo que todavía me preocupa. La niña ...

LOLA. — Por eso, va a tener que perdonarnos otra vez, tía Victoria.

VICTORIA. — No entiendo.

LOLA. — ¿ Recuerda cuando, hace un instante, le dije a Ruth: « ¿ No le notas algo extraño a la nena ? ».

VICTORIA. — Lo recuerdo. Pero ahora ¿ qué importa aquello ?

---

1. reposo *rest*.   2. desesperado *in despair*.

¿No les parece que estamos perdiendo un tiempo precioso para la salud de la pequeña?

RUTH. — La nena está más sana que todos nosotros.

VICTORIA. — ¿Es que no tiene fiebre? ¿No está enferma?
5 ¿Puede ser verdad eso? ¡Qué dicha!

LOLA. — Todo fué un complot hecho por nosotros.

JIM. — Ya me lo suponía yo.

MRS. ADAMS. — Y yo. Tendría gracia que una nieta mía estuviera enferma.

10 RUTH. — Pensamos que ese inocente complot iba a acercarla a nosotros para siempre.

VICTORIA. — ¿Es posible que ustedes hayan hecho un complot contra mí? ¿Pudieron valerse de un pretexto [1] como éste, para vencerme? (*Transición*) ¡Perdónenme, otra vez!
15 El marqués, mi abuelo, empezaba a hablar de nuevo por mis labios. Ustedes tienen razón. Quizá en otra forma, hubiera preferido morirme, antes que ceder.

CARLOS. — ¿Qué les decía yo? Esa es Victoria de la Vega.

VICTORIA. — Pero esta vez la victoria no ha sido mía, Carlos.
20 La ganó tu aliada.

MRS. ADAMS. — Bueno, me parece que ya le hemos dado bastante oportunidad al sentimentalismo latinoamericano. Ahora que la paz ha vuelto a la familia, hablemos de nuestros negocios, y preparémonos para llevar a la nena a
25 los Estados Unidos.

VICTORIA. — ¡Jamás! ¡Esto nunca! ¡Todo menos esto!

CARLOS. — Antes que volvamos a luchar, quiero pedirle permiso para darle una nueva sobrina. Quiero casarme con Ruth.

30 VICTORIA. — Te lo estaba leyendo en los ojos. Tienes mi permiso y mis deseos para tu felicidad.

CARLOS. — Gracias, tía.

RUTH. — Gracias, tía.

VICTORIA. — ¿Algo más?

35 JIM. — Una pregunta simple: ¿Cree usted justo que un padre abandone a su hija?

1. pretexto *pretext, pretended reason.*

VICTORIA. — ¿ Cómo voy a pensar semejante locura?

JIM. — Y entonces ¿ qué quiere usted que yo haga? Tengo que volver a los Estados Unidos. He terminado mi trabajo aquí, por ahora. Debo llevarme conmigo a mi familia . . . No veo otra solución.

MRS. ADAMS. — Yo tengo la solución. ¿ Por qué la nena no puede tener dos hogares y dos abuelas? ¿ Por qué no puede pasar la mitad del tiempo en Guayaquil? (*Sonriendo*) Así le picarán los mosquitos y le dará paludismo. Entonces usted nos la mandará a que pase un tiempo en Ohío con nosotros, para curarla.

LOLA. — Sería magnífico. Así Ruth Victoria Adams de la Vega tendrá dos idiomas y ojalá que lo mejor de dos pueblos.

CARLOS. — Además que, en un porvenir próximo, nosotros les daremos un nieto, para continuar el nombre de los de la Vega.

VICTORIA. — Que sea como ustedes quieren, pues. Y a mi vez, una pregunta. ¿ Prohibe la higiene norteamericana que le dé un beso a mi nieta?

MRS. ADAMS. — A veces, hay cosas más importantes que la higiene. Por mi parte, desde que llegué estoy con ganas de hacer lo mismo. ¡ Vamos !

> (*Se dirigen hacia el coche. En ese momento entran por la izquierda* UVALINDA *y* TORCUATO. *La primera lleva al segundo tomado por el cuello de la chaqueta.*)

UVALINDA. — Puesto que ahora están todos reunidos, y Torcuato no lo puede hacer y como no sé a quién dirigirme, quiero que alguno de ustedes conceda mi mano para Torcuato.

VICTORIA. — ¿ Qué cosas dice Uvalinda?

LOLA. — Que se quiere casar con Torcuato. (*Con malicia*) Veo que tu estudiante salió bien aprovechado, Uvalinda.

UVALINDA. (*Sencillamente*) — Así es, señorita Lola. Por eso quiero darle su premio.[1]

VICTORIA. — Por mi parte, estoy conforme con que se case

---

1. premio *award*.

contigo.   Pero fíjate bien en lo que haces.   Torcuato es un
hombre que casi no sirve para nada.

UVALINDA. — Por eso mismo me necesita.   ¡ Si viera usted
cómo me necesita !

5 JIM.   (*Sacando el reloj*) — Con dos matrimonios tenemos que
aprovechar el tiempo.   Es mejor que vayamos al hotel ahora
mismo.

VICTORIA. — ¿ Hotel?   No faltaba más.   Vamos a la mansión
de los nobles de la Vega que, desde la época de mi abuelo
10 el marqués, no tiene fiestas.   En ella habrá otra vez bodas,
música, flores y alegría, como en los tiempos viejos.
¡ Vamos !

(*TELON FINAL*)

"SOMBRAS"

Pasillo Ecuatoriano

Corsino Durán C.

Carlos Brito y Aguirre Pinto

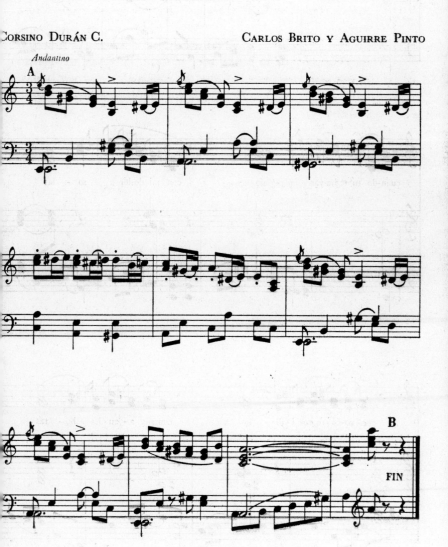

Cuan-do tú te ha-yas i - do me en-vol-ve-rán las som - bras

cuan-do tú te ha-yas i - do con mi do-lor a so - las

e - vo-ca-ré e-se i - di - lio con sus a - zu - les ho - ras

cuan-do tú te_ha-yas i - do   me_en-vol-ve-rán las som - bras

poco Allegro

y_en la pe-num-bra va - ga   de_u - na pe-que-ña_al-co - ba

accel   *poco*   *a*

a - que-lla ti - bia tar - de   pa - sa-mos dul-ces ho - ras.

poco   *y crescendo*   *rall.*

ff

te bus-ca-rán mis bra - zos   en la pe-que-ña al-co - ba.

con suplica   *tempo*

y as-pi-ra-re en el ai - re   a-quel o-lor de ro - sas

D.C. a B FIN

cuan-do tú te ha-yas i - do   me en-vol-ve - rán las som - bras.

Cuando llegue el olvido
marchitarán las rosas.
Cuando llegue el olvido
mi verso se hará prosa.
No cantaré a tus ojos
ni cantaré a tu boca.

Cuando llegue el olvido
te perderé en las sombras . . .

Y en las penumbra vaga
de una pequeña alcoba
donde una tarde tibia
te dí mi pasión loca,

No te daré mis besos,
ni buscaré tu boca,
sólo serán recuerdos
lejanos, esas horas . . .

Cuando llegue el olvido
te habrás ido en las sombras.

El pirata fantasma

EL PIRATA

Personajes

LA ABUELA (DOÑA TADEA), cabeza de la familia Seminario, de 70 años

JULIETA, su romántica nieta, de 22 años

TERESA, hija de la señora de Seminario, de 40 años

PIERRE RENARD, esposo de Teresa, de 35 años

HERMENEGILDA « HERMY », criada de la familia, de 30 años

JUAN, mayordomo [1] de la casa, de 45 años

BOB TAYLOR, de los Estados Unidos, de 25 años

CAPITÁN PÉREZ, de la guardia de Guayaquil, de 40 años

ANACLETO, un soldado, de 33 años

La Acción se desarrolla en el Guayaquil colonial.

Acto primero

La decoración es la misma para los tres actos.

Sala de la casa de los Seminario, en el barrio [2] de Las Peñas de Guayaquil, Ecuador. Todo es muy misterioso. Hay muchos muebles de la época, una gran mesa central, y algunas sillas. Las paredes están cubiertas de cuadros de los antepasados de la familia. Entre ellos domina el retrato del capitán Arístides Seminario, a la derecha. Don Arístides lleva uniforme de marino y tiene el rostro algo cubierto por los grandes bigotes [3] y barbas. A la izquierda hay un reloj practicable, marcando las nueve y media cuando se levanta el telón.

En primer término, a la izquierda, una puerta comunica con las habitaciones de la familia. A través de ella se advertirá a

---

1. mayordomo *butler*.   2. barrio *district*.
3. bigote *mustache*.

FANTASMA [1]

Comedia en tres actos

un lado la luz de la capilla [2] de los Seminario. En primer
término, derecha, una puerta conduce a las habitaciones de los
criados y a la de los huéspedes, que da sobre el río Guayas. Al
fondo, hay un gran arco que separa la sala del corredor. Este
corredor comunica con la puerta de la calle por la izquierda,
segundo término. Al fondo del corredor, hay una sombrerera, [3]
o cualquier otro mueble, que disimula una trampa [4] que
comunica, por pasajes subterráneos, [5] con el río Guayas.

Si es posible, durante toda la representación se escuchará el
lejano rumor de las aguas del río y, de vez en cuando, el sonido
de las maderas movidas por la corriente.

1. fantasma *phantom*.   2. capilla *family chapel*.
3. sombrerera *hat rack*.   4. trampa *trap door*.
5. subterráneo *underground*.

I

(*Al levantarse el telón, están en escena* HERMENEGILDA *y* ANACLETO. *Este trata de besarla. Ella se defiende.*)

ANAC. — No seas así, Hermenegildita. Dame el último beso.

HERME. — ¡ Ay, Anacleto ! Te lo diera. Pero es que ya no tengo ánimo para nada. Entre los piratas de afuera y los fantasmas de adentro, me van a volver loca.

5 ANAC. — Un beso te devolverá las fuerzas. Y lo mismo ocurrirá conmigo. Necesito abrazar y besar a alguien, después de luchar todo el día contra los piratas.

HERME. — ¿ Qué habríamos hecho si tú y tus soldados no hubieran ganado?

10 ANAC. — Fué buena suerte que los detuviéramos en la isla Puná, antes de que tuvieran tiempo de llegar a Guayaquil. Les lanzamos un barril de pólvora con metralla,[1] entre sus naves, que volaron en todas direcciones. Varias se hundieron.

15 HERME. — Dicen que hubo algunos piratas muertos.

ANAC. — ¿ Algunos? La mayoría de ellos. Y nosotros matamos al resto, salvo unos pocos prisioneros. Solamente se escaparon los que huyeron en una nave al mar y los que en un pequeño buque lograron burlar nuestra vigilancia,[2]

20 pasando por entre nosotros.

HERME. — ¿ Pasando por entre ustedes? ¿ Por el río? ¿ Quiere decir entonces que ellos ahora están en Guayaquil?

ANAC. — No tengas miedo, Hermenegilda. Pronto los capturaremos. Nosotros, los soldados de la guardia, no de-

25 jaremos que se acerquen a este barrio de Las Peñas. El peligro ha pasado. La gente que abandonó la ciudad podrá

---

1. metralla *grapeshot.*　　2. vigilancia *watchfulness.*

regresar mañana. Me alegra que la familia Seminario no haya huido, como las otras.

HERME. — Tú sabes por qué. Casi todos los criados han huido, pero la niña Julieta no quiere hacerlo y la abuela no puede. Además, los otros criados lo han hecho, porque no tienen 5 la protección de un soldado tan guapo y valiente como tú.

ANAC. — ¡ No te burles de mí, Hermenegilda ! Puede ser que yo no sea tan guapo, pero, eso sí, no le tengo miedo a nada ni a nadie. 10

(*Se escucha bajo el piso, un ruido de remeros* [1] *y después un « ay » largo.* ANACLETO *y* HERMENEGILDA, *llenos de miedo, se arrojan el uno en brazos del otro.*)

HERME. — ¡ Jesús Santo ! La Viuda del Tamarindo.

ANAC. — ¡ Los piratas ! ¡ Nadie debe vivir a orillas del río, en tiempos como éstos !

HERME. (*Reaccionando,* [2] *cuando cesan los ruidos y viendo que* ANA-CLETO *continúa abrazándola*) — Bueno, Anacleto, ya pasó el 15 peligro. Suéltame. No abuses así de una muchacha.

ANAC. — Te estaba protegiendo, querida Hermenegilda.

HERME. — No me protejas más de este modo. Cuando salí, la familia estaba terminando de comer y vendrá a hacer ter-tulia [3] aquí, antes de acostarse. 20

ANAC. — Estaré de ronda [4] toda la noche. ¿ Te podré ver más tarde ?

HERME. — No sé . . . De un momento a otro puede regresar el esposo de doña Teresa y no quiero que me encuentre con-tigo. 25

ANAC. — Ese Pierre Renard siempre está metiendo la nariz en todas partes. ¡ No me gusta ese tipo !

HERME. — Tampoco tiene muchos amigos en esta casa. Su propia esposa lo odia tanto como ella odia a su madre.

ANAC. — Doña Teresa no odia a su madre. Yo la he visto . . . 30

HERME. — Ella trata de ocultarlo, pero esto es difícil queriendo

---

1. remero *oarsman.*   2. reaccionar *to change attitude.*
3. tertulia *gathering;* hacer tertulia *to spend the evening.*
4. de ronda *on patrol.*

recibir tan pronto el dinero de la herencia. Su madre es
quien ahora le da todo lo que necesita para los gastos.

JULIETA.   (*Desde fuera*) — ¡ Hermy ! ¡ Hermenegilda !

HERME. — ¡ Voy, señorita Julieta ! (*A* ANACLETO) ¿ Ya lo
5   viste, Anacleto ? ¡ Vete ! ¡ Vete, pronto !

ANAC. — Si no me das el último beso, no me voy.

HERME. — Toma, pues. (*Lo besa.*) Y ahora sí, vete. Y no
olvides cerrar la puerta del zaguán.[1]

ANAC. — Hasta luego, Hermenegildita de mi vida.

10 HERME. — Hasta más vernos, Anacletito de mi corazón.

(ANACLETO *sale por la izquierda, segundo término, hacia donde*
se supone que está la puerta de calle.)

JULIETA. — ¡ Hermenegilda ! ¡ Hermenegilda !

HERME. — Voy, señorita Julieta.

(HERMENEGILDA *empieza a dirigirse hacia la izquierda primer*
término. En ese momento entra por allí JULIETA. *Lleva un*
papel doblado en la mano.)

JULIETA. — ¿ Quién trajo esta carta ?

HERME. — Nadie ha traído ninguna carta, señorita Julieta.

15 JULIETA.   ¡ Qué raro y misterioso ! La encontré en mi cama,
y creí que tú la habías recibido y dejado allí.

HERME. — Ni siquiera la he visto antes. Es posible que haya
sido su tía Teresa, ¿ no ? ¿ Quiere que se lo pregunte ?

JULIETA. — No. No es necesario. Veremos qué dice. (*Abre*
20 *la carta y la lee. Su rostro indica preocupación.*) Es tan extraño.
No entiendo.

HERME. — ¿ Le ocurrió algo al señor Renard ?

JULIETA.   (*Pensativa*) — No. Es otra cosa. Algo que no le
puedo decir a nadie.

(TERESA *entra por la izquierda, primer término.*)

25 TERESA. — Hermenegilda.

HERME. — Mande usted, doña Teresa.

TERESA. — Mi madre necesita que la ayudes. ¡ Ve a buscarla !
Está en el comedor.

HERME. — En seguida, doña Teresa. (*Se dirige hacia la izquierda*

---

1. **zaguán** *entrance hall.*

primer término, para empezar el mutis.[1]   *Se vuelve.*)   ¿ Le llevó usted esa carta a la señorita Julieta?

TERESA.   (*Con sorpresa*) — ¿ Qué carta?   (JULIETA *trata de ocultar la carta.*)

ABUELA.   (*Gritando desde fuera*) — ¡ Hermenegilda !   ¿ Hasta cuándo te espero?

JULIETA. — Apúrate, Hermenegilda.   Tú conoces el genio de la abuela.

HERME. — Demasiado, señorita Julieta.

ABUELA.   (*Desde fuera*) — ¡ Apúrate, tonta !

HERME.   (*Con impaciencia*) — ¡ Ya voy !   ¡ Ya voy !

(HERMENEGILDA *sale por la izquierda, primer término.*)

TERESA.   (*Con sospecha*) — ¿ Qué ocurre con esa carta, Julieta? ¿ Dónde la encontraste?

JULIETA. — Este . . . (*Vacilando*) No te lo puedo decir, tía.

TERESA.   (*Sospechando más aún*) — ¿ Fué sobre la cama?

JULIETA. — Sí.

TERESA. — Te prohibían hablar del asunto ¿ verdad?

JULIETA. — ¿ Cómo lo sabes?

TERESA. — Porque . . . yo también he recibido una carta misteriosa.   Estoy sospechando que es la misma que tú has recibido.   ¿ Quieres dejarme verla?

JULIETA.   (*Dudando aún*) — No sé si debo . . .

TERESA.   (*Viendo que* JULIETA *sigue vacilando, insiste.*) — Para convencerte, te voy a hacer la última pregunta.   ¿ No te dicen en la carta que debes venir a la medianoche de hoy, a esta sala, donde se discutirá un asunto de la familia Seminario?

JULIETA. — Sí.   Así es.

TERESA. — No me cabe la menor duda.   Es la misma carta. Te mostraría la que yo recibí pero la dejé en mi cuarto. ¿ Quién podría haberla escrito y traído hasta aquí?   Aquí no hay nadie más que mamá.   ¿ Tú crees que ella? . . .

JULIETA. — La mía está firmada por Arístides Seminario, el abuelo.

(*Señala el retrato del* CAPITÁN.)

1. empezar el mutis *to start off stage* or *exit.*

TERESA. — También la mía, y eso es lo que no puedo explicarme, puesto que no sabemos una palabra de él desde hace dos años, cuando partió de Guayaquil para Cádiz.

JULIETA. — Entonces, ¿quién podrá ser? Si yo fuera Her-
5 menegilda, diría que es un fantasma. Para ella todo este

barrio del Viejo Guayaquil y especialmente nuestra propia casa, están llenos de ellos.

TERESA. — Si no mencionamos el asunto, quizá podremos descubrir al que ha tomado el nombre de mi padre.

10 JULIETA. (*Pensativa*) — Oye, tía Teresa.

TERESA. — ¿Qué?

JULIETA. — ¿Será que el abuelo no ha muerto? ¿Será que vive y quiere darnos una sorpresa esta noche?

TERESA. — Puede ser . . . Sin embargo en caso de que fuera
15 así, me gustaría saber dónde ha estado estos dos años, desde que dejó Guayaquil, en su viaje a Cádiz.

> (LA ABUELA *entra por la izquierda primer término. Va en un sillón de ruedas, que empuja* HERMENEGILDA. *Al entrar, tropieza con una silla.*)

ABUELA. — ¡Idiota! ¿Es que no te fijas por dónde me llevas?

Quítame esa silla de ahí. Llévala allá atrás, para que no
estorbe el paso. (HERMENEGILDA *toma la silla y la lleva hasta
el corredor. Allí la pone contra la sombrerera que oculta la trampa.*)
¿De quién hablaban ustedes? ¿De ese sinvergüenza de
Renard?   5

TERESA. — No digas eso, mamá.

ABUELA. — ¿No es un sinvergüenza?

TERESA. — Es mi esposo.

ABUELA. — Desgraciadamente. No lo sería si me hubieras escuchado. Se casó contigo sólo por el dinero. Creía que 10
habíamos heredado una gran fortuna de mi esposo. ¡Tanto
que se habló del tesoro escondido de Arístides Seminario!

TERESA. — Es una lástima para todos no saber dónde está el
dinero que mi padre ahorró y prometió dividir entre nosotros.   15

JULIETA. — Está seguro que no pudo hundirse en el barco con
toda su fortuna. ¿Verdad, abuelita?

ABUELA. — No, Julieta. Yo sé que tu abuelo llevó algunas
piedras preciosas y joyas[1] de oro. Pero la mayor parte
debió quedarse aquí. Una de las últimas cosas que me dijo 20
fué que con las ganancias que hiciera en ese viaje, agregadas
a lo que dejaba, tendría una gran fortuna para él y su
familia.

TERESA. — ¿Y no te dijo nunca dónde tenía ese dinero?
¿Estás segura de no saberlo, madre?   25

ABUELA. — Por supuesto que no. Tú sabes que a tu padre,
como viejo marino, le gustaba poco confiar sus secretos a
las mujeres.

HERME. (*Mirando con miedo a todos lados*) — Estoy segura de
que hay un tesoro escondido y, por eso, el alma de don 30
Arístides no está tranquila. Esos ruidos y pasos que se escu-
chan son de él. Mientras no se encuentre el tesoro, no
podremos vivir en paz . . . (*Con miedo*) Yo, en el caso de
ustedes . . .

TERESA. — ¿Qué?   35

HERME. — Quitaría ese retrato de aquí. Juraría que hay

1. joyas *jewelry.*

noches en que le he visto mover los ojos y seguirme con su mirada.

JULIETA. — Los ojos de todo buen retrato parecen seguir a las personas.

5 ABUELA. — Nadie tocará ese retrato mientras yo viva . . .

HERME. — Doña Tadea . . .

ABUELA. — ¡ Cállate ! Bien sé que me odias, que deseas mi muerte, pero mientras tanto no permitiré que hagas tonterías por esas supersticiones tuyas.

10 HERME. — Todos abusan de mí.

ABUELA. — Tú tienes la culpa porque eres tan tonta. Y ahora, ve a traerme la botella de mi remedio. Tú sabes que tengo que tomarlo a las nueve. (*Señalando el reloj*) Y ya se pasó la hora. Son casi las diez.

15 HERME. — Usted ya me tiene aburrida con su dichoso remedio.

(HERMENEGILDA *sale murmurando, por la izquierda, primer término*.)

TERESA. — Madre, no debieras permitirle que te conteste en ese tono. ¡ Y las cosas que dice !

ABUELA. — Ella ha estado con la familia desde que era una
20 chiquilla. Ahora es demasiado tarde para enseñarle respeto.

JULIETA. — Y por otra parte, Hermy no tiene más supersticiones que la mayoría de las gentes ignorantes.

TERESA. — Pierre dice que algún día va a usar con ella un
25 látigo [1] o una pistola, para que le conteste con más respeto.

ABUELA. — Pierre dejará a los criados de esta casa en mis manos o saldrá de ella para siempre. El tendrá que tratar a Hermy como todos nosotros. Después de todo, sólo hace
30 un año que la conoce.

TERESA. — Me preocupa la ausencia de Pierre.

ABUELA. — Mientras más tarde venga y mientras menos le vea la cara, yo seré más feliz.

TERESA. — Pero ya hace ocho días que está fuera. Y prometió

1. látigo *whip.*

volver ayer. Ojalá que los piratas no hayan capturado su barco.

ABUELA. —Ojalá que el diablo se lo haya entregado a los piratas. Aunque creo que él no ha nacido para ser matado por piratas. La otra vez que atacaron a Guayaquil, el año 5 pasado, por coincidencia él también estaba ausente.

JULIETA. — Hoy estás peor que nunca, abuela. No sé por qué le odias tanto a Pierre. El ha hecho por nosotras cuanto ha podido, desde su casamiento con tía Teresa el año pasado.

ABUELA. — Sí, supongo que lo ha hecho. Pero no me gusta 10 su manera de mirar. Parece estar esperando matarme. Aunque yo creo que todos están cansados de tenerme cerca.

JULIETA. — Eso no es verdad, abuelita.

(Se vuelven a escuchar el ruido de maderas, el rumor de pasos y, otra vez, el « ay » largo y lleno de tristeza. Entra HERMENE-GILDA, *por la izquierda, primer término. Viene corriendo, sin la medicina. En su rostro se lee el terror.)*

HERME. *(Cayendo de rodillas en medio de la sala)* — ¡La vi! ¡La vi! ¡Ayúdame! ¡Ay, Dios mío! ¡Socorro! *(Reza en* 15 *alta voz.)* Padre nuestro, que estás en los cielos . . .

TERESA. — ¿Qué tienes, Hermenegilda? ¿A quién has visto?

HERME. *(Continúa rezando.)* — . . . Sálvame del terror que pasea en la noche, de . . .

TERESA. *(Se acerca a* HERMENEGILDA *y la sacude.)* — ¿Has per- 20 dido la razón? ¿A quién has visto, alma de Dios?

HERME. *(Como volviendo en sí)* — ¿Qué? ¿Qué? ¿Por qué me golpea?

TERESA. — ¿A quién has visto?

HERME. *(Con horror)* — Otra vez a la Viuda del Tamarindo, 25 la que vaga por Las Peñas buscando a su marido soldado. ¡Oh! Era altísima. Sus ojos echaban llamas. Al mirarme, lanzó un grito espantoso.

JULIETA. — Todo el mundo sabe que la Viuda del Tamarindo es una leyenda,[1] Hermenegilda. Se trata de una mujer 30 que se disfrazaba [2] para llevarle alimentos a su marido que se había escapado de la cárcel.

---

1. leyenda *legend.*   2. disfrazarse *to disguise oneself.*

HERME. — Eso dice usted, porque no la ha visto nunca. Pero yo la he visto y ninguna mujer puede ser tan alta.

ABUELA. — ¿Y mi remedio? Idiota ¿quieres que me muera, mientras todas hablan de fantasmas?

5 HERME. — Con el miedo, se me olvidó.

ABUELA. — Pues, entonces, ve a buscarlo en seguida.

HERME. — ¿Sola?

ABUELA. — Claro. ¿Quién va a acompañarte?

HERME. — Me da miedo. ¡Ojalá que el mayordomo no hu-
10 biera ido a luchar contra los piratas! Por lo menos podía haber vuelto al anochecer.

TERESA. — Deseo que Pierre regrese pronto. No tengo mucha confianza en Juan.

ABUELA. — ¿Qué le pasa a Juan?

15 TERESA. — ¿Te parece poco que no sepamos nada de él? Apareció aquí un día y pidió trabajo . . .

ABUELA. — Y se lo dió Pierre sin decirme nada. El le tiene mucha confianza.

JULIETA. — Y yo también. Su cicatriz [1] en la mejilla lo hace
20 parecer cruel, pero es muy atento.

ABUELA. — Dejemos eso. Ustedes se preocupan de todo me-nos de mi remedio. ¿Quieren matarme con sus propias manos?

JULIETA. — Yo voy a buscarlo, abuelita.

25 ABUELA. — No. Es tiempo de que vayas a dormir. El día ha sido muy intenso y necesitas descansar temprano. Iré yo misma por mi remedio. Hermenegilda ¡empújame!

HERME. — Muy bien . . . Señorita Julieta . . .

JULIETA. — ¿Qué?

30 HERME. — ¿Quiere hacerme un favor? Permítame dormir en su habitación. Me da miedo dormir sola en la otra parte de la casa.

(*Señala hacia la derecha.*)

JULIETA. — Es que . . .

HERME. — Se lo ruego, señorita Julieta.

35 ABUELA. — Sí, que duerma contigo. Así será más fácil lla-

1. cicatriz *scar.*

marla, si la necesito a medianoche, lo cual es muy probable.
Y ahora, apúrate. ¿Quieres que tome mi remedio mañana?
Después regresarás por tu colchón.[1]

(HERMENEGILDA *empieza a empujar el sillón de ruedas, con
la abuela, haciendo mutis por la izquierda primer término.*)

TERESA. (*Pensativa*) — ¿No habrá recibido también la Abuela
esa carta misteriosa? Nunca llama a los criados a media- 5
noche.

JULIETA. — ¿Crees que debemos preguntarle?

TERESA. — No. Nosotros esperaremos. ¿Vienes?

(TERESA *se dirige hacia el centro de la sala, donde hay una
gran lámpara, la que apaga. Después, acompañada de* JU-
LIETA, *hace mutis por la izquierda primer término. La escena
queda sola, iluminada débilmente por la luz de la capilla, que
entra apenas por la izquierda primer término. Del centro a
la derecha todo está obscuro.*
Por la izquierda, primer término, entra HERMENEGILDA *con
una vela en la mano derecha. Avanza temblando hacia la
derecha primer término, atravesando toda la sala. De pronto,
se escucha el mismo ruido de otras veces.* HERMENEGILDA
*se detiene unos instantes. En ese momento, se escucha el ruido
de una puerta, al abrirse. Es la puerta de la trampa, situada
detrás de la sombrerera, ante la cual cae la silla, haciendo
gran ruido.* HERMENEGILDA *sale como alma que lleva el
diablo, haciendo mutis por la derecha primer término. Se
abre la puerta de la trampa completamente y entran dos disfra-
zados con los sombreros hasta los ojos, y envueltos en grandes
capas; el primero de ellos, que lleva una larga espada, em-
puja la silla y sale por la derecha segundo término, diciendo:*)

EL HOMBRE DE LA ESPADA. (*En voz baja*) — Recuerda: ¡Ni
una palabra! 10

*El otro disfrazado cierra la puerta, avanza hacia la sala y em-
pieza a dirigirse hacia la derecha primer término. En ese momento, entra* HERMENEGILDA *por la derecha primer término.
Al ruido que hace, el disfrazado se oculta tras de la mesa.*
HERMENEGILDA, *temblando, avanza con su colchón. Siempre
lleva en la mano una vela.*)

VOZ SUBTERRANEA Y MISTERIOSA. (*Como salida del retrato*) —
Hermenegilda, Hermenegilda . . .

1. colchón *bedding.*

HERME. (*Con terror, gritando*) — ¡ Ay ! ¡ Socorro ! ¡ Socorro ! ¡ Dios mío !

(*Deja caer el colchón, tratando de correr. Tropieza con el colchón y cae. Se apaga la vela. De esto se aprovecha el disfrazado, para correr hacia primer término derecha, por donde sale.*)

VOZ SUBTERRANEA Y MISTERIOSA. — Hermenegilda, Hermenegilda. Si dices una palabra de lo que has oído o visto, te
5 llevaré a los quintos infiernos.

(TERESA *y* JULIETA *entran por la izquierda primer término.*)

TERESA. — ¿ Qué ocurre, Hermenegilda ? ¿ Más fantasmas ?

HERME. — Sí . . . Es decir, no. (*Mirando con miedo al retrato*) Esta vez, no ha pasado nada.

JULIETA. — ¿ Entonces ? ¿ Por qué gritaste, como si te estu-
10 vieran matando ?

HERME. — Es que . . . tropecé. Me caí. Y me dió mucho miedo.

TERESA. (*Advirtiendo la silla caída*) — ¡ Ah, ya sé ! ¿ Hiciste caer esa silla ?

15 HERME. — ¿ Yo ? ¡ Yo no he hecho caer nada ! (*Reaccionando*) Es decir, sí. Yo la hice caer, pero la voy a levantar ahora mismo.

(JUAN *entra por la derecha, primer término. Viene en ropa de dormir.*)

JUAN. (*Con voz profunda y grave*) — ¿ Qué ha ocurrido, señoritas ?

(*Se acerca a la lámpara y la enciende.*)

20 JULIETA. — Será otro ataque de nervios de Hermenegilda.

TERESA. — ¿ Qué ? ¿ Usted aquí, Juan ? ¿ A qué hora llegó ?

JUAN. — Volví hace algún tiempo. Estaba tan cansado que me acosté en seguida. Ya iba a dormir.

25 ABUELA. (*Desde fuera, gritando*) — ¡ Teresa ! ¡ Teresa !

TERESA. — Dí, mamá.

ABUELA. — ¿ Qué es lo que pasa ?

TERESA. — Nada. Nervios de Hermenegilda.

ABUELA. — Esa mujer va a acabar con todos nosotros.

(*Entra* PIERRE RENARD, *en traje de viajero, por la izquierda
segundo término.* TERESA *y* JULIETA *van a su encuentro.*
RENARD *besa en la frente a* TERESA, *fríamente. Después
abraza a* JULIETA.)

RENARD. — Me alegro de haber vuelto. ¿ Cómo les han pasado estos días? He estado muy preocupado por la suerte
de ustedes. Felizmente, aquí estaba Juan, para defender-
las.

TERESA. — Juan no estaba aquí. Fué, como todos los hombres 5
de la ciudad, a luchar contra los piratas.

RENARD. — ¿ Es verdad, Juan? ¿ No sabías que tu deber
estaba en esta casa?

JUAN. — Desgraciadamente hubo que luchar contra los piratas en todas partes, señor Renard.   10

JULIETA. — Tío, como usted no llegaba, nosotras teníamos
miedo de que lo capturaran los piratas.

RENARD. — ¿ A mí? ¿ Por qué habrían de querer capturarme?
(*Sonriendo*) A mí, no, sobrina. Como se supo que los piratas
huían por el Canal de Jambelí, todo el tráfico [1] pasó por el 15
Canal del Morro. Felizmente, ya estoy en casa sano y
salvo. Ahora, lo único que quiero es cambiarme de ropa y
descansar.

ABUELA. (*Desde fuera*) — ¿ Llegó Pierre? Me parece oír su
voz.   20

RENARD. — Sí, doña Tadea, aquí estoy.

ABUELA. — Venga, entonces. Tengo algunas cosas que decirle.

RENARD. ¿ A mí? Está bien. Me cambio de ropa y estoy
con usted.   25

(RENARD *sale por la izquierda primer término.*)

JULIETA. — Bueno, Hermenegilda, lleva tus cosas a mi cuarto.
Creo que ahora sí podremos descansar tranquilos.

HERME. — ¿ Quién sabe, señorita? El soldado Anacleto me
dijo que algunos piratas se habían escapado y se habían
dirigido hacia Guayaquil.   30

JUAN. — No hay que tener miedo, señorita. Al final, los

1. tráfico *traffic, shipping.*

piratas serán capturados por la Guardia. Es su suerte. De vez en cuando tienen sus pequeños éxitos, pero siempre terminan en la horca.

> (HERMENEGILDA *se dirige hacia la izquierda empezando el mutis. En ese momento, se escuchan fuertes golpes en la puerta de la calle.*)

HERME. — ¡ Dios Santo ! ¡ Son los piratas ! Ahora sí que
5 nos matan a todos.

> (*Los golpes suenan más fuertes.*)

JUAN. — Abra la puerta. No tenga miedo.

HERME. — La señora de Seminario dice que todos abusan de mí, porque soy tan tonta. Esta vez, no voy. No soy tan tonta como para abrirles la puerta a los piratas.

10 JUAN. — Los piratas no entran nunca por la puerta. Pero eso no importa. Voy a abrirla yo.

TERESA. — Usted no está vestido como para eso, Juan. Vaya a su cuarto y cámbiese de ropa.

JUAN. — Sí, señora. (*Sale por la derecha.*)

15 PÉREZ. (*Desde fuera*) — ¡ Abran, en nombre de la Ley !

JULIETA. — Ya ves, Hermenegilda, tu miedo era sin causa. Es la Guardia. Yo iré a abrir. (*Sale por la izquierda, segundo término.*)

HERME. — Más vale así.

> (HERMENEGILDA *sale por la izquierda primer término.*)

20 ABUELA. (*Desde fuera*) — ¿ Quién se va, Teresa? Necesito saber lo que está ocurriendo.

TERESA. — No es nada, mamá; ¡ Cálmate !

ABUELA. (*Desde fuera*) — De todos modos, quiero que alguien me lleve allá.

25 TERESA. — Hermenegilda fué a dejar sus cosas de dormir al cuarto de Julieta. Tan pronto como termine, irá por tí.

> (JULIETA *entra por la izquierda segundo término.*)

JULIETA. — Es el capitán Pérez, de la Guardia.

TERESA. — ¿ Por qué no lo haces entrar ?

JULIETA. — Ya viene. (*Mirando a la izquierda*) Pase usted,
30 capitán Pérez.

(*El capitán* PÉREZ *entra por la izquierda segundo término.*
Va vestido de militar. *Se detiene en la puerta.* *Se cuadra.*[1])

PÉREZ. — Muy buenas noches.

TERESA. — Buenas noches.

PÉREZ. — Ruego a ustedes que me disculpen el molestarlos a
esta hora de la noche. Se trata de algo muy importante.
No quiero asustarles, pero debo decirles que . . .   5

TODOS. — ¿ Qué ?

PÉREZ. — ¡ Que se ha escapado el capitán de los piratas !
Huyó en una canoa que tocó tierra cerca de aquí. Todos
los que iban en la canoa desaparecieron. La Guardia los
busca por todas partes, porque se supone que se han escon- 10
dido en una de estas casas, de la orilla del río.

JULIETA. — ¡ El capitán de los piratas ! ¿ Es simpático ?
¿ Cuántos años tiene ?

TERESA. — ¿ Por qué preguntas eso, Julieta ?

JULIETA. — ¿ Por qué no ? ¿ Es que un capitán de piratas no 15
puede ser joven y simpático ? Dígamelo, capitán Pérez,
¿ cómo es él ?

PÉREZ. — No tenemos la menor idea. No hubiéramos sabido
que es el capitán si no hubiera sido porque mis hombres
capturaron a uno de los del barco cuando trataba de 20
ocultarse. Pero él tampoco sabía nada porque su jefe lleva
puesta una máscara [2] que no se quita jamás. No tengo más
detalles. Mis soldados ahorcaron al pirata antes de que yo
llegara.

TERESA. — Si usted no sabe nada de él ¿ cómo piensa encon- 25
trarlo ?

PÉREZ. — Porque debe ser extranjero y estamos avisando a
todo el mundo que mire bien a los extranjeros.

JULIETA. — Será fácil encontrar un extranjero aquí en Las
Peñas, especialmente esta noche que la mayoría de la gente 30
ha salido al campo.

PÉREZ. — Ustedes no han visto a nadie sospechoso ¿ verdad ?

TERESA. — Nadie ha entrado en la casa esta noche, con excepción de mi marido y el mayordomo.

---

1. cuadrarse *to come to attention.*   2. máscara *mask.*

(*Entra* JUAN *por la derecha.*)

JUAN. — ¿ Me necesitan para algo?

PÉREZ. — No. Solamente quiero pedirle que si usted ve a alguien a quien no conozca, llame inmediatamente a los soldados. Tenemos que buscar hasta encontrarlo y la
5 Guardia estará aquí cerca toda la noche.

TERESA. — Gracias por avisarnos, capitán. ¿ Eso es todo?

PÉREZ. — Es todo. (*Saludándolos*) Buenas noches.

(*El capitán* PÉREZ *sale por la izquierda segundo término.*)

JULIETA. — Me gustaría saber cómo es el capitán de los piratas.

TERESA. — Por mi parte, ¡ojalá que nunca me encuentre con
10 uno!

JUAN. — Los piratas no son tan románticos como usted piensa, señorita Julieta.

(*Entra la* ABUELA, *en su sillón, empujado por* HERMENE-
GILDA, *por la izquierda, primer término.*)

ABUELA. — ¿ Qué ocurría, Teresa?

TERESA. — Vino un oficial de la guardia para avisarnos que
15 se escapó el capitán de los piratas y piensan que él está aquí, en Guayaquil.

ABUELA. — ¿ Ellos lo han visto?

TERESA. — No, pero ellos están buscando a cualquier extranjero de aire sospechoso.

20 JULIETA. — Y con una gran pistola. Estoy segura que él tiene una gran pistola.

ABUELA. — Lo más probable es que esté cerca de aquí. Los soldados son valientes, pero los piratas son más listos.[1] Hasta ahora, casi siempre los han dejado con un palmo de nari-
25 ces.[2]

JULIETA. — Es que los piratas están acostumbrados a vencer toda clase de dificultades.

ABUELA. — Pero tarde o temprano los capturan y terminan mal. ¡ Ah, si yo fuera soldado, no necesitaría mucho
30 tiempo para capturar a ese pirata ! Es diferente, tratándose de una pobre enferma, como yo.

---

1. ser listo *to be clever.*   2. dejar con un palmo de narices *to trick, fool.*

TERESA. — ¿ Qué puede hacer una mujer ? No es posible preguntar a todo el mundo si es pirata. Y sin sospechar de una persona . . .

ABUELA. — A veces, las mujeres tenemos sospechas más rápidamente que los hombres. (*Después de una breve pausa*) ¿ Y ese Renard ? ¿ Por qué tarda tanto ? Cuando se detuvo en mi cuarto, prometió volver en seguida. Tengo un asunto muy importante que discutir con él. (*Mira el reloj.*)

TERESA. — Estará cansado, después de su viaje de Panamá.

JUAN. — Yo también estoy cansado y con el permiso de ustedes me voy a la cama.

TERESA. — Pero no se duerma demasiado profundamente, porque entonces no oirá al pirata, si éste viene.

JULIETA. — ¿ Tiene usted su pistola ?

JUAN. — No, señorita. Los soldados me dieron una, pero la dejé en el cuartel.[1]

ABUELA. — Un hombre sin armas no sirve para nada.

JUAN. — No es la mayor cantidad de armas lo que hace ganar todas las batallas. Estaré listo[2] si el pirata viene por aquí.

TERESA. (*A* JUAN *que empieza a dirigirse a la derecha*) — Mire, Juan. Quiero pedirle un favor. Antes de retirarse, ¿ no podría arreglarme la ventana de mi balcón. No puedo cerrarla. Será cosa de diez minutos. Y con los piratas por aquí . . .

JUAN. — Voy en seguida, señorita Teresa.

TERESA. — Y dígale a Renard que venga inmediatamente.

(JUAN *sale por la izquierda primer término. Vuelven a escucharse fuertes golpes en la puerta de la calle. Por un instante todos se miran sin hacer nada.*)

ABUELA. — Hermenegilda, ve a la puerta.

HERME. — ¿ Para qué ?

ABUELA. — Para abrirla, tonta.

HERME. — ¿ Yo ?

TERESA. — ¿ Quién más ? ¿ Es que esperas que abra otra vez la señorita Julieta ?

HERME. — Es que . . . esta vez ha de ser el pirata.

---

[1]. cuartel *barracks*.   [2]. estar listo *to be ready*.

ABUELA. — No seas tonta. Probablemente es el oficial que vuelve.

HERME. — Abusan de mí porque soy tan tonta.

ABUELA. — ¿ Qué dices, idiota?

5 HERME. — ¿ Yo? Nada. Nada ... (*Murmurando entre dientes*) Algún día voy a ...

> (HERMENEGILDA *sale por la izquierda, segundo término.* ,)

JULIETA. — ¡ Cómo me gustaría conocer al capitán de los piratas !

> (HERMENEGILDA *entra por la izquierda, segundo término. Su rostro está lleno de terror.*)

HERME. — ¡ Allí está ! ¡ Lo vi con mis propios ojos !

10 ABUELA. — ¿ Qué es lo que estás diciendo?

HERME. — ¡ Que allí está el pirata !

ABUELA. — ¿ Cómo lo sabes?

HERME. — Porque antes de abrir la puerta miré por las rejas.[1] Y es él, como dijo el capitán Pérez. ¡ Un extranjero des-
15 conocido y de aire sospechoso !

TERESA. — Bueno. ¿ Qué esperamos? Juan debe ir por la Guardia, en seguida.

JULIETA. — ¡ Oh ! ¡ Pobre pirata !

TERESA. — ¡ No seas tonta, Julieta ! No podemos perder
20 tiempo. Hermenegilda, llama a Juan.

ABUELA. — Un momento. (*A* HERMENEGILDA) ¿ Le pregun-taste quién era y qué deseaba?

HERME. — ¡ Dios me libre de hacerlo ! Por supuesto que no. Apenas lo vi, volví inmediatamente.

25 ABUELA. — Eres una tonta. A cada rato, me haces perder la paciencia. Ve quién es y qué quiere aquí. Si él fuera el pirata y tratara de ocultarse, no golpearía la puerta para llamar la atención. Hazlo pasar.

HERME. — ¿ Que entre? ¿ Aquí? ¿ En esta casa? ...

30 ABUELA. — Por lo menos, pregúntale quién es. Anda. ¿ Qué esperas?

> (HERMENEGILDA *hace un gesto de disgusto y sale por la iz-quierda, segundo término. Al poco rato entra por el mismo*

---

1. reja *grating.*

sitio, seguida de BOB TAYLOR. *Este lleva una maleta en la mano.*)

BOB. — Muy buenas noches.

TODAS. — Buenas noches.

BOB. (*Dirigiéndose a la* ABUELA) — ¿ Es usted doña Tadea de Seminario?

ABUELA. — Sí, señor. ¿ En qué puedo servirle? 5

BOB. — Antes que nada, ruego que me disculpen por la visita a esta hora. Llegué a Guayaquil esta tarde. En el Malecón [1] me informé de la casa de ustedes y me vine caminando hasta aquí. Vi que había luz y . . .

ABUELA. — ¿ Quién es usted? 10

BOB. — ¡ Oh, perdóneme ! Soy Bob Taylor, de los Estados Unidos.

TERESA. — ¿ Acaso pariente de ese señor Taylor que se casó con mi tía Dolores?

BOB. — Sí, señora. Soy nieto del señor Oliver Taylor, de 15 Boston.

JULIETA. — Entonces, usted es mi primo.

BOB. (*Con una franca sonrisa*) — ¿ Su primo? Siempre dije que era un hombre de suerte.

ABUELA. — Bueno, señor, como cabeza de la familia Semi- 20 nario, doy a usted la bienvenida y le ofrezco esta su casa.

BOB. (*Avanza al centro de la sala y, antes de sentarse, da una rápida mirada por todos lados. Se queda viendo el retrato de don Arístides Seminario.*) — ¡ Qué buen retrato del gran capitán !

ABUELA. — ¿ Usted lo conoció? 25

BOB. — Lo vi una vez en Boston, hace cuatro años. Había ido a visitar a mi abuela. ¿ Cómo está él?

JULIETA. — ¿ Quién? ¿ Pregunta usted por mi abuelo?

BOB. — Sí. ¿ Cómo está?

TERESA. — ¿ Es que usted no sabe que él murió hace dos años? 30

BOB. — ¿ Murió? ¡ No ! Eso no es posible.

JULIETA. — Desapareció, y no hemos oído nada. No hemos vuelto a saber de él y pensamos que ha muerto.

BOB. — Pues, entonces, yo tengo muy buenas noticias para

---

1. malecón *dock.*

ustedes.   Hace unos meses que recibí esta carta de él.   (*Saca un papel, igual al que cada una de ellas ha recibido.*)

JULIETA. — ¡ Otra carta !

TERESA. — Igual a las que recibimos nosotras.

5 ABUELA. — Un momento.   Señor Taylor, por supuesto, usted se quedará con nosotros esta noche.

BOB. — No había pensado en ello.   Puedo volver mañana.   ¿ A qué hora es la cita ?

ABUELA. — Hoy, a medianoche.

10 TERESA. — ¿ Tú también recibiste una carta, mamá ?

ABUELA. — Sí.   Pero ¿ qué tonto quiere reunir a la familia Seminario a esa hora ?   ¡ Y a medianoche !   ¡ Qué locura !

BOB. — ¿ A medianoche ?   ¡ Qué buena suerte que yo decidiera salir a pasear !   De otro modo habría viajado cuatro
15 meses para asistir a una cita y habría llegado demasiado tarde.

ABUELA. — Entonces, ¿ usted se queda ?

BOB. — Por lo menos, hasta después de la medianoche.   Tengo un cuarto en un hotel, frente al río.   Les dije que volvería
20 tarde . . .

ABUELA. — Imposible.   Con la ciudad como está, le será difícil llegar sano y salvo; todos andan sospechando de los extranjeros.   Usted no sabe los peligros que correría si saliera otra vez a la calle.

25 JULIETA. — No discuta más, primo.   Por supuesto que se queda.   Usted es de la familia.

BOB. — Pero yo no quisiera molestarlos.

JULIETA. — De ninguna manera.   Es cuestión de hospitalidad tradicional, y nada más.   Mañana enviaremos un criado por
30 su equipaje.   Además, nos podrá contar muchas cosas de su país, de la familia de allá, de su viaje, etc.

ABUELA. — Usted no puede decirnos que no.   Ni una palabra más.   Se queda.

BOB. (*Sonriendo*) — Veo que no me queda otro remedio que
35 aceptar.   Acepto, pues, y muchas gracias.

ABUELA. — Hermenegilda, prepara la habitación de los huéspedes, para el señor Taylor.

HERME. — Muy bien, señora.

(HERMENEGILDA *sale por la derecha primer término*.)

BOB. — Y esa habitación tiene dos ventanas que dan al río ¿ verdad?

JULIETA. — ¿ Cómo lo sabía usted?

BOB. — Porque su abuelo me la describió. Cuando supo que 5
yo sabía castellano, me invitó a que los visitara algún día y
me habló de esa habitación que me estaría esperando.

ABUELA. — Bien, señor Taylor, es decir, Bob. Ahora que la
criada ha salido, podemos seguir hablando de tu carta.
¿ Quién la firmó? 10

BOB. — El capitán Seminario, quien incluyó [1] el dinero para
pagar mi pasaje a Guayaquil.

ABUELA. — No puedo entenderlo. Mi marido desapareció
hace dos años, como te dijo Julieta.

BOB. — Mi carta tiene la fecha del último día del año. Esta 15
aventura es mejor de lo que yo esperaba. Estoy muy contento de haber venido, por varias razones. (*Mira a* JULIETA
con una sonrisa significativa.)

JULIETA. — ¿ Tuvo muchas dificultades para hacer el viaje?

BOB. — ¿ Dificultades? Sí, algunas. Creo que en mi país no 20
habían oído hablar de Sud América. Tuve que ir primero
a Cuba, y a Panamá, y después crucé el istmo.[2] Esperé allá
mucho tiempo hasta que hubo un barco que viniera al Sur.
Fué un viaje lleno de aventuras y muchas veces estuve seguro de que nunca llegaría a Guayaquil. 25

ABUELA. — Felizmente ya estás aquí y llegaste a tiempo.
Quizá muy pronto sacaremos en claro lo que significan
estas cartas que hemos recibido todos.

JULIETA. — ¡ Qué lindo sería que el abuelo estuviese vivo !

ABUELA. — Si a Arístides se le ocurre regresar esta noche para 30
sorprendernos, después de hacernos pensar todos estos meses
que había muerto . . . ¡ yo le quebraré todos los huesos del
cuerpo !

TERESA. — No digas eso, mamá. Si no nos ha dicho ninguna

---

1. incluir *to include*.   2. istmo *Isthmus (of Panama)*.

palabra, es porque seguramente no ha podido. Imagínate que su ausencia sea contra su voluntad; que haya naufragado [1] . . .

JULIETA. — O que lo haya capturado algún pirata noble, que
5   no quiso matarlo, para después recibir dinero por su vida.

ABUELA. — Esos piratas sólo existen en tu imaginación, mi querida nieta. Además, tengo la seguridad de que si Arístides pensaba venir esta noche, me lo hubiera hecho saber.

(RENARD *entra por la izquierda primer término.*)

10 RENARD. (*Mira a todos. Se sorprende ante la presencia de* BOB TAYLOR.) ¿Quién es este caballero?

TERESA. — Es Bob Taylor, un primo de los Estados Unidos. El señor Renard, mi marido; el señor Taylor.

RENARD. — ¿Un primo de los Estados Unidos? ¿Estás se-
15 gura?

ABUELA. — ¿Qué quiere decir?

RENARD. — ¿Ha probado su identidad?

BOB. — ¿Qué dice usted? ¿Acaso cree que yo no diga la verdad?

20 RENARD. (*Reaccionando*) — No, no, en absoluto. Y le ruego que me disculpe [2] las preguntas. Usted comprenderá que en las circunstancias es necesario tener mucho cuidado. La Guardia busca al capitán de los piratas que trató de atacar hoy a Guayaquil. Usted es extranjero. Las señas que dan
25 pueden ser las de usted. Nosotros necesitamos saber únicamente que usted no es el hombre que ellos andan buscando.

BOB. (*Con risa franca*) — ¿Qué es lo que está diciendo? ¿Yo, un pirata? ¡Qué gracioso!

RENARD. — Permítame una pregunta. ¿A qué hora llegó
30 usted?

BOB. — Al anochecer.

RENARD. — ¿Al anochecer? ¡Precisamente a la hora en que se escapó el pirata!

ABUELA. — Pero, ¿cómo puede imaginar que este joven sea el
35 pirata?

1. naufragar *to be shipwrecked.*   2. disculpar *to pardon.*

RENARD. — Todo es muy sospechoso. Es un extranjero. Dice que viene de los Estados Unidos y habla tan buen castellano . . .

BOB. — Mi abuela es de aquí. Ella me crió y me habló mucho en castellano.

JULIETA. — Además, ¿ no reconoció el retrato del abuelo y no sabe tantos detalles del cuarto de los huéspedes?

RENARD. — Estas cosas son fáciles de aprender. Los piratas tienen espías en todas las ciudades que van a atacar. Y si él pensaba llegar aquí como miembro de la familia de Seminario fué necesario aprender detalles acerca de la familia.

ABUELA. — Pierre, no le permito que insulte a un caballero, a quien hemos ofrecido la hospitalidad de nuestra casa.

BOB. — Está bien. No se preocupen. Es solamente una broma.

JULIETA. — Pero no la sería si alguno de los soldados lo escuchara.

BOB. — Por lo menos sería una nueva aventura. Ya les he dicho que a mí me gustan mucho las aventuras.

TERESA. — No le darían tiempo para gozar mucho de ella. El pueblo de Guayaquil odia mucho a los piratas, y lo probable es que lo colgaran en seguida de un árbol y después hablaran de ello. Aquí no tenemos mucha paciencia con los piratas. Han atacado y robado muchas veces nuestra ciudad. Hace solamente un año que ellos robaron nuestra catedral.

ABUELA. — La mayoría de nuestro pueblo, cuando oye la palabra « pirata, » pierde la cabeza y tiene miedo de hacer cualquier cosa.

RENARD. — Por eso mismo, creo que ha llegado la hora de tomar medidas.

TERESA. — ¿ Medidas?

RENARD. — Sí. He conseguido una canoa y la tengo aquí en la orilla del río detrás de la casa. Juan puede ir con ustedes. En ese barco pondremos lo necesario para que pasen una semana en el campo. Deben salir en seguida, haciendo lo

mismo que la mayoría de las mejores familias de Guayaquil.
Yo me quedaré aquí cuidando de todo.

ABUELA. — ¡ La gente de Guayaquil es tan inocente ! ¿ No
puede ver que ya no hay peligro de los piratas ?

5 RENARD. — Es que recuerdan lo que pasó cuando vino L'Her-

mite en 1624. Todo el pueblo huyó a los campos, hasta
que el pirata robó la ciudad y la abandonó. Entonces los
guayaquileños regresaron. L'Hermite y los suyos volvieron de noche a la ciudad y con la mayor sangre fría
10   mataron a los niños y las mujeres. Cuando esta noche
llegué de mi viaje, en todas las calles oí decir que había
salido desde los Galápagos un grupo de piratas en dirección
de Guayaquil.

ABUELA. — De todos modos ellos no llegarán aquí esta noche.
15 Por eso, creo que podemos esperar hasta mañana para ver
si salimos o no.

RENARD. — Mañana puede ser demasiado tarde. Usted no
comprende el peligro.

ABUELA. — Mi casa me parece mucho más segura que un pequeño barco.

RENARD. — Insisto en que . . .

ABUELA. — Señor Renard, usted no tiene ningún derecho para
insistir en nada en esta casa.

(*Entra* HERMENEGILDA *por la derecha primer término.*)

HERME. — Está lista la habitación del huésped.

ABUELA. — Bob, ten la bondad de pasar a ver tu habitación.
Si necesitas, algo, te ruego que nos avises.

JULIETA. — No olvides que te esperamos antes de la medianoche. Falta ya menos de una hora y media.

BOB. — Volveré en seguida.

(HERMENEGILDA *y* BOB *salen por la derecha primer término.*)

RENARD. — Ustedes están locas. ¿ Cómo pueden creer lo que
les dice el primero que pasa? Ya que no quieren huir ¿ por
qué meten el peligro en su propia casa? ¿ No se dan cuenta
de lo que están haciendo?

ABUELA. (*Mirándolo fijamente*) — Yo tengo algunas sospechas.
Pero ¿ qué se puede hacer sólo con sospechas? Se necesitan
pruebas, y tal vez con él . . .

JULIETA. — Tú eres injusta,[1] abuelita. El nos ha mostrado una
carta igual a la que recibimos nosotras. ¿ Esto no te indica
quién es?

RENARD. — Eso no significa nada. ¿ Cómo podemos saber,
por ejemplo, si él no es el pirata que mató al verdadero Bob
Taylor y tomó su nombre y su carta para salvarse? . . . Si es
el capitán de los piratas, tendrá mucho gusto en salir cuando
estemos dormidos para matarnos a todos.

ABUELA. — He oído decir que hay piratas que se ocultan bajo
nombres falsos, pero parece imposible. ¿ Qué cree usted,
Pierre?

RENARD. — Yo no sé nada de piratas. Solamente, me parece
que es necesario tener cuidado, sobre todo ahora.

(HERMENEGILDA *entra por la derecha primer término. Viene
asustada, corriendo.*)

HERME. — ¡ Que Dios nos proteja ! ¿ No se los dije ? ¡ Es él !

1. injusto *unjust.*

ABUELA. — ¿ El ? ¿ Quién ? ¿ Cuál es esta nueva tontería ?

HERME. — Apenas llegó a su habitación, sacó una enorme pistola de debajo de su saco y la puso sobre la cama. Como yo me asusté, él soltó una carcajada[1] horrible y me
5 dijo: « No le digas a nadie que tengo una pistola. Si no, te mataré. Soy el capitán de los piratas. ¿ No se lo oíste decir al señor ? »

JULIETA. — ¿ No ves que se trataba de una broma ?

HERME. — La pistola que tiene no parece broma.

10 RENARD. — Veo que es inútil cuanto yo les diga. Ustedes no me creen. Mejor me retiro a mi habitación. Ya verán ustedes que yo tenía razón.

ABUELA. — ¿ Qué ? ¿ Espera usted que ocurra algo ?

RENARD. — Soy prudente.[2] Eso es todo. Procuraré estar listo
15 para cualquier cosa. (RENARD *sale por izquierda primer término.*)

JULIETA. — Abuelita, si quieres descansar un rato, puedes hacerlo. Yo te llamaré a la medianoche.

ABUELA. — No, Julieta. Estoy cansada de que me lleven de
20 un lado a otro. Además, tengo que hacer algunas cosas aquí, todavía.

(*Entra* BOB TAYLOR, *por la derecha primer término. Viene sin la maleta.*)

BOB. — Sé que me va a gustar mucho ese cuarto. Ofrece una maravillosa vista del río. Esta noche voy a dormir con la canción de las olas que llegan hasta el pie de la ventana y
25 soñaré que estoy todavía a bordo del[3] buque.

HERME. — Ojalá no se le acerque la Viuda del Ataúd.[4]

BOB. — Si es simpática, me gustaría conocerla.

HERME. — ¿ Simpática ? Es un alma en pena, que viaja en el río sobre un ataúd,[4] rodeada de cuatro velas encendidas.

30 BOB. — ¿ En ataúd en el río y con cuatro velas ? ¿ Lo mismo que si fuera un barco ? Si la veo, le hablaré de los lindos ríos que tenemos en mi país.

HERME. — No se burle usted, señor. Y si la ve, no se olvide de

---

1. carcajada *burst of laughter.*   2. prudente *careful.*
3. a bordo de *on board.*   4. ataúd *coffin.*

rezarle la oración del Justo Juez.[1] De otro modo, lo seguirá a usted a donde vaya.

BOB. — Si ella me sigue a Boston, será algo magnífico. Piense en lo que sería tener un fantasma de los trópicos asustando a la gente en el río Charles.

ABUELA. — Si escuchas a Hermenegilda, Bob, vas a volverte loco. Aquella tonta cree que todos los personajes y hechos de las leyendas de este país son verdaderos.

JULIETA. — Muchas son tan hermosas y románticas que debieran serlo.

BOB. — A veces la verdad resulta más rara que la leyenda misma. Después de algunos años, quién sabe si a nosotros mismos nos parecerá una leyenda la misteriosa cita de esta noche.

ABUELA. — A propósito de eso, antes que llegue la hora, quiero hablar unas palabras contigo, Bob. ¿ Quieren los otros dejarme con él a solas unos momentos?

JULIETA. — Nosotros también queremos conocerlo, abuelita.

ABUELA. — Es cuestión de pocos minutos. Cuando terminemos, yo los llamaré.

(TERESA, JULIETA, y HERMENEGILDA *salen por la izquierda primer término.*)

BOB. — Estoy a sus órdenes, señora.

ABUELA. — Hermenegilda dijo que tienes una pistola. ¿ Es verdad?

BOB. — Sí. En un viaje tan largo y lleno de peligro como el mío, era probable que pudiera necesitarla.

ABUELA. — ¿ Eres buen tirador [2]?

BOB. — A veces la suerte me ha ayudado y he ganado algunos premios.

ABUELA. — ¿ Y ahora llevas contigo el arma, en el bolsillo, tal vez?

BOB. — No. Es tan grande que la dejé en mi habitación. Además no pensé que fuera necesario traerla aquí.

ABUELA. — En eso estás equivocado. Esta noche pueden pasar

---

1. oración del Justo Juez *a traditional prayer used as incantation against ghosts.*
2. tirador *marksman.*

muchas cosas y yo quiero evitarlas. Por eso, para que estemos seguros, debes ir a buscar esa pistola. Después hablaremos.

BOB. — Con todo gusto, señora, si eso la calma. Volveré en
5 un minuto.

ABUELA. — Quedo esperándote.

> (BOB *sale por la derecha, primer término. En esta escena, la* ABUELA *está en su sillón, en primer término izquierda, casi al extremo, completamente opuesta al retrato de don Arístides Seminario. Durante algunos instantes la escena queda muda. De pronto, suena un disparo* [1] *y la* ABUELA *cae de su sillón, muerta. Entran* TERESA, JULIETA *y* HERMENEGILDA, *por primer término, izquierda.*)

TERESA. — ¿ Qué pasó ? Mamá ¿ qué tienes ?

JULIETA. (*Viendo a la* ABUELA *caída*) — ¡ Abuelita querida, háblame !

10 TERESA. (*Corriendo a su lado y cayendo de rodillas ante ella*) — ¡ Dios mío ! . . . (*Llorando*) ¡ Una herida ! ¡ Muerta !

JULIETA. (*También de rodillas ante el cadáver, llorando*) — ¿ Quién la mató ?

HERME. — Fué el pirata. El la mató.

15 TERESA. — ¿ Dónde está él ? Lo dejamos aquí, con ella.

> (*Entra* RENARD *por la izquierda primer término.*)

RENARD. — Oí un disparo. ¿ Fué aquí ? ¿ Qué pasó ?

TERESA. — Mi mamá. ¡ Muerta !

RENARD. (*Acercándose al grupo*) — Lo que yo sospechaba. Nadie está seguro en esta casa. Debían ustedes aprovechar
20 para irse en seguida.

TERESA. — ¿ Irnos, ahora ? ¿ Con mi mamá muerta ? ¡ Imposible ! ¿ Y el entierro [2] ? Además ¡ tenemos que encontrar al asesino [3] de mi madre !

> (*Entra* JUAN *por la izquierda primer término.*)

JUAN. — ¿ Qué ha ocurrido ?

25 RENARD. — Que acaban de matar a la señora de Seminario.

JUAN. — Debí haber permanecido al lado de ella, para protegerla.

---

1. disparo *shot*.   2. entierro *funeral*.   3. asesino *murderer*.

RENARD. — Yo insistí mucho en que saliéramos de la casa esta
noche.   Y le rogué que no invitara a ese extranjero a quedarse aquí.

TERESA.   (*Con dolor y rabia*) — No debe andar muy lejos.
Cuando salimos, él se quedó con mamá.   5

    (*Entra* BOB *por la derecha primer término.   Hay un momento
de silencio.   Todos lo miran.*   BOB *va a decir algo, pero se
adelanta* RENARD *y lo señala.*)

RENARD. — ¡ Es él !   Este es el pirata que mató a la inocente
Abuela.

(*TELON*)

II

La misma decoración que el acto anterior; pero el reloj se ha adelantado quince minutos. Al levantarse el telón, HERMENEGILDA está en escena, en el centro, segundo término.

(*Entra* ANACLETO. *Se cuadra y dice:*)

ANAC. — Ya estoy aquí, mi amor, para protegerte.

HERME. — Sí. Ya lo veo. Pero ¿ por qué saludas tanto?

ANAC. — El capitán dijo que o saludábamos o nos iríamos a la cárcel. ¿ Estás contenta de verme?

5 HERME. — Si no hubieras venido, estaría muerta de miedo. En este caso ¿ qué habrías hecho, querido mío?

ANAC. — Me habría matado ahí mismo.

HERME. — ¡ Qué buen corazón tienes, bien mío !

ANAC. — Claro que tengo buen corazón. Pero no me habría
10 matado solamente por eso . . .

HERME. — ¿ Por qué, entonces?

ANAC. — Porque como te persiguen los fantasmas, lo más probable es que, después de que murieras, ellos vendrían en tu compañía a no dejarme tranquilo. Y como yo soy tan
15 valiente, prefiero matarme antes que morir de miedo.

HERME. — No hables de la muerte, ángel mío. Tienes que vivir para protegerme. Necesito tu protección por lo menos hasta que hayamos ahorcado [1] al jefe de los piratas.

ANAC. — No tengas miedo, preciosa. El capitán Pérez y sus
20 guardias estarán aquí muy pronto. Los mandé llamar.

HERME. — Mientras más pronto vengan, mejor. Todos aquí

1. ahorcar *to hang.*

96

estamos medio locos.   Las señoritas, especialmente doña
Teresa, continúa llorando en la capilla, ante el cadáver de
doña Tadea.   (*Señala la puerta de la izquierda, primer término.*)
Y acá (*señalando la derecha primer término*) está el asesino guardado por el señor Renard.   5

ANAC. — ¿ No hay miedo de que se escape ?

HERME. — Si no salta por la ventana, al río, no tiene por
donde escaparse.

ANAC. — No olvides que el agua es su elemento.

HERME. — Puede ser, pero no para un pirata muerto.   El 10
señor Renard tiene una enorme pistola y primero lo mata
antes de permitir que se escape.   Pienso que ya lo hubiera
hecho, a no ser por la señorita Julieta.

ANAC. — ¿ Qué ?   ¿ Acaso ella lo está defendiendo ?

HERME. — Aunque parezca imposible, así es.   Ella siempre 15
tiene la cabeza llena de ideas románticas acerca de los
hombres de mar, de los piratas, y . . .

(*Entra* JULIETA *por la izquierda primer término.*)

ANAC. — Buenas noches, señorita Julieta.   (*Cuadrándose*)   Lamento mucho la muerte de su abuelita.

JULIETA. — Muchas gracias.   20

ANAC. — Pero no se preocupe, que ella será vengada.   Dentro
de unos pocos minutos vendrá el capitán Pérez a llevarse al
asesino y yo le prometo a usted que pronto tendrá el placer
de verlo ahorcado, colgado de algún árbol.

HERME. — No te olvides de invitarme, bien mío.   Quiero verlo 25
todo.

JULIETA. — ¡ Cállense, por Dios !   No se sabe si él es culpable
o no.   Pueden matar a un inocente.

ANAC. — Su abuela también era inocente, señorita Julieta.

JULIETA. — Le ruego que no hablemos más de esto.   30

ANAC. (*Cuadrándose otra vez*) — A sus órdenes, señorita.   Y
ahora ustedes me perdonen.   Voy a esperar afuera al
capitán.

(ANACLETO *sale por la izquierda segundo término.*)

JULIETA. — ¿ Por qué están todos tan seguros de que Bob es el
culpable ?
                                                                   35

HERME. — ¿ Quién otro podría ser ?   Cualquiera puede ver que él es un extranjero.

JULIETA. — Pero ¿ qué motivos tenía él para matarla ?   Nadie mata por matar.

5 HERME. — Los piratas no necesitan motivos.   Ellos viven precisamente para eso: robar y matar.

JULIETA. — Estoy segura de que Bob no ha robado a nadie.

HERME. — No lo sabemos.   Es lo único de lo que podemos estar seguras.

(*Suenan fuertes golpes en la puerta de la calle.*)

10 JULIETA. — Ve a ver quién es.

HERME. — ¿ Yo ?   Señorita . . .

JULIETA. — ¿ Con miedo todavía ?   Ten esta vez siquiera un corazón valiente.

HERME. — Tengo un corazón valiente, señorita, pero también
15 tengo dos piernas cobardes.[1]   ¡ Y dos siempre pueden más que uno !   En fin, ¿ qué voy a hacer ?   Todos abusan de mí porque soy tan tonta.

(HERMENEGILDA *sale por la izquierda segundo término.   Casi en seguida vu lve a entrar por el mismo sitio.*)

HERME. — Es el capitán Pérez.

JULIETA. — Muy bien, que pase.

20 HERME. — Entre, capitán.

(*El capitán* PÉREZ *entra por la izquierda segundo término.*)

PÉREZ. — Aquí vengo por el pirata.

JULIETA. — Hicieron mal en llamarlo tan pronto.   Cualquier acción es prematura, todavía.

PÉREZ. — Yo lo pensé . . . Por lo que dijo el soldado Anacleto,
25 creí que ustedes habían capturado al pirata.   ¿ No es prisionero ?

JULIETA. — El hombre que tenemos aquí es un pariente nuestro, de los Estados Unidos.   Mi tío y los otros creen que él es el capitán de los piratas.

30 PÉREZ. — ¿ Y usted ?

JULIETA. — Yo no he visto ninguna prueba de que él lo sea.

---

1. cobarde *cowardly.*

PÉREZ. — ¿ No son sus señas las que les di?

HERME. — Claro que sí. Es un extranjero, tiene una pistola
y . . .

JULIETA. — ¡ Tú, cállate !

PÉREZ. — Su abuelita siempre tiene buen juicio. ¿ Cuál es su 5
opinión?

HERME. — ¿ Es que usted no lo sabe? Ella está muerta. El
pirata la mató.

PÉREZ. — ¿ La mató? . . . ¿ Cuándo? ¿ Dónde? ¿ Cómo?

JULIETA. — Fué asesinada[1] aquí, hace unos pocos minutos, 10
por un tiro de pistola.

PÉREZ. — Siento terriblemente oír esto. Créame que lo
lamento, señorita Julieta.

JULIETA. — Muchas gracias, capitán.

PÉREZ. — Y ustedes piensan que ese norteamericano la mató. 15
¿ No es así?

HERME. — Claro que él lo hizo. El se quedó solo con ella, después de que todos salimos y él . . .

PÉREZ. — Y él la mató ¿ verdad?

JULIETA. — No hay pruebas. 20

HERME. — Basta mirarlo. Cualquiera puede ver que él es el
pirata.

PÉREZ. — ¿ Ustedes dicen que está capturado?

HERME. — El señor Renard lo está vigilando.[2]

PÉREZ. — Entonces ¿ qué esperamos? ¿ Por qué no le hace- 25
mos preguntas? Si él no lo hizo, ya nos lo explicará. Y si
él lo hizo, debemos matarlo antes de que cause más daño.

JULIETA. — ¿ No lo van a juzgar? Todo el mundo tiene derecho a defender su vida.

HERME. — El es un pirata. Si no hacemos algo pronto, el 30
resto de su gente vendrá a salvarlo y entonces sí ¡ pobres de
nosotros !

PÉREZ. — Ya tomaré yo mis precauciones.

JULIETA. — Le pido un poco de calma, capitán Pérez. Usted
sabe que yo quería a mi abuelita y que deseo que el asesino 35
sea castigado, pero en este asunto están envueltos nuestro

---

1. asesinar *to murder.*   2. vigilar *to look after, keep watch over, guard.*

nombre y el honor de la familia y no queremos hacer nada que nos haga aparecer injustos. No olvide usted que un huésped tiene derechos sagrados.

HERME. — Señorita Julieta, puede ser su pariente, pero es el
5 pirata y mató a su abuelita.

JULIETA. — Si lo hizo, seré la primera en pedir su muerte, pero no hasta que yo esté segura. Sé que usted puede probar su inteligencia y espíritu de justicia, capitán. No haga nada hasta que tenga buenas pruebas.

10 PÉREZ. — Es que yo, señorita . . .

JULIETA. — Por otra parte, él es un extranjero y . . .

HERME. — Mayor razón para ser sospechoso. Uno no puede confiar en los extranjeros.

JULIETA. — El está aquí completamente solo, sin amigos, sin
15 nadie que lo ayude. Por favor, capitán, haga lo que le pido.

PÉREZ. (*Inclinándose*) — Como usted desee, señorita. Que nunca se diga que el capitán Pérez no ha querido oír la petición de una dama.

JULIETA. — Muchas gracias.

20 PÉREZ. — Y ahora ¿cómo podemos ver al prisionero?

JULIETA. — Hermenegilda, di a mi tío que ha venido el capitán.

HERME. — Sí, señorita.

(HERMENEGILDA *sale por la derecha primer término.*)

PÉREZ. — Para mostrarle que estoy tratando de ser lo más justo que puedo, voy a hacerle las preguntas aquí mismo.
25 Esto podría salvarlo, también.

JULIETA. — ¿Cómo salvarlo?

PÉREZ. — Mis soldados han luchado contra los piratas todo el día. Muchos han muerto y otros están heridos. Si llevo al pirata a mi cuartel y ellos saben que se sospecha de
30 que sea el capitán y que haya matado a una inocente dama, lo ahorcarán al instante.

JULIETA. — Eso no debe ocurrir.

PÉREZ. — Le daremos la oportunidad de explicarse aquí, ante todos. Si es culpable, no hay nada que hacer sino ahor-
35 carlo. Si es inocente, yo le prometo a usted hacer todo lo posible por protegerlo.

JULIETA. — Yo quiero que se capture al hombre que asesinó a mi abuela, pero no puedo convencerme de que Bob tenga algo que ver con esto. Debe haber alguna explicación. Por otra parte, ocurra lo que ocurra, siempre creeré que usted es un valiente soldado y un perfecto caballero. 5

(*Entra* BOB *por la derecha primer término, seguido por* RENARD, *quien lo vigila con una pistola enorme. Cuando* BOB *ve a* JULIETA, *empieza a dirigirse hacia ella.*)

BOB. — Julieta ¿ es que todos se han vuelto locos?

RENARD. — ¡ No se mueva o tiro ! Aquí está su asesino, capitán.

PÉREZ. — El supuesto asesino, usted querrá decir, señor Renard. Tenemos que juzgarlo. 10

BOB. — Veo que por fin hay aquí una persona razonable.

RENARD. — ¿ Juzgarlo? ¿ Para qué? Todos sabemos que doña Tadea está muerta. Su hija no la mató, ni Julieta, ni Hermenegilda, ni Juan, ni yo. ¿ Quién la mató, entonces? 15

PÉREZ. — Eso es lo que tratamos de descubrir.

RENARD. — Por supuesto que yo quiero darle a este joven todas las oportunidades de probar que es inocente, pero es difícil saber cuando dicen la verdad estos extranjeros. ¿ Qué va a hacer usted? 20

PÉREZ. — Se lo diré a usted cuando estén en esta sala todos los de la casa.

RENARD. — ¿ También mi esposa? Ella está llorando en la capilla, ante el cadáver de su madre.

PÉREZ. — Créame que siento mucho interrumpir en este momento su justo dolor, pero es absolutamente necesario. 25

RENARD. — Bien, entonces . . . Yo supongo . . . Julieta, llama a tu tía, por favor. Y tú, Hermy, ve por Juan. Todavía está en mi cuarto, arreglando la ventana. (JULIETA *y* HERMENEGILDA *salen por la izquierda primer término.* RENARD, *con la pistola* 30 *en la mano, se dirige a* BOB.) ¡ Y usted, señor, no trate de escaparse !

PÉREZ. — No es necesario que usted lo siga vigilando con su pistola, señor Renard. Tengo la casa rodeada de guardias.

RENARD. — Sí, pero el río está libre.

PÉREZ. — Se equivoca. También el río está lleno de soldados sobre todo frente a esta casa.

(*Entran* JULIETA *y* TERESA *por la izquierda primer término.*)

PÉREZ. Lamento mucho lo ocurrido, señora. Y todavía
5 lamento más tener que molestarla en estos momentos de tristeza. Pero su presencia nos puede ayudar mucho.

TERESA. — Mi pobre madre muerta me necesita también, pero si usted lo quiere . . .

(HERMY *y* JUAN *entran por la izquierda primer término.*)

JUAN. — ¿Usted mandó buscarme, capitán?

10 PÉREZ. — Sí. No hay nadie más en esta casa, ¿ verdad?

RENARD. — Estamos todos, capitán.

PÉREZ. — Muy bien. Entonces, siéntense. Yo me quedaré frente a la mesa, para escribir cuanto sea necesario. El prisionero se sentará a mi izquierda.

15 JUAN. (*Avanzando hacia el capitán* PÉREZ) — Si usted prefiere, yo tomaré nota de todo, capitán.

PÉREZ. — Magnífico. Siéntese a la derecha, entonces. (*Solemnemente*) Declaro abierto el juicio. (*A* BOB) ¡ Póngase en pie !. . . . ¿ Jura usted decir la verdad y nada más que la
20 verdad?

BOB. — Seguramente. ¿ Por qué no? No tengo nada que ocultar.

PÉREZ. — Conteste. ¿ Jura usted . . . o no?

BOB. — Muy bien, muy bien. ¡ Lo juro !

25 PÉREZ. — ¿ Cuál es su nombre?

BOB. — Robert S. Taylor.

PÉREZ. — Quiero su nombre completo. ¿ Qué significa esa S. ?

BOB. — Esa S. significa Seminario, el nombre de mi abuela. No lo dije porque conozco la costumbre española de usar
30 primero el nombre del padre y en seguida el de la madre. El de mi padre es Taylor. Usted lo ve. No quiero causar confusión. Ya hay demasiada confusión en esta casa.

PÉREZ. (*Golpeando la mesa*) — ¡ Basta ! Usted debe contestar sencillamente a mis preguntas. Responda sí o no.

35 BOB. — Es lo que estoy tratando de hacer.

PÉREZ. — No quiero explicaciones. ¿Dónde nació usted?
(*Pausa*) ¿Por qué no contesta?

BOB. — Estoy tratando de encontrar la forma de contestar
solamente sí o no.

RENARD. — Protesto. Si de veras es un miembro de la
familia Seminario, lo que debe hacer es probarlo en seguida
y entonces contará con la ayuda de todos nosotros. De otro
modo lo que estamos haciendo es perder el tiempo.

PÉREZ. — Niego su protesta. Necesitamos conocer algunos
detalles de la vida del prisionero.

TERESA. — ¿Cómo puede saber usted si él dice la verdad o
no?

PÉREZ. — Eso lo consideraremos más tarde. Continuemos el
juicio. ¿Dónde nació usted?

BOB. — En Boston, Massachusetts.

PÉREZ. — ¿Qué edad tiene?

BOB. (*Alzándose de hombros*) — Veinticinco años.

JULIETA. — Capitán ¿cómo puede pensar en ahorcar a un
hombre tan joven?

PÉREZ. — ¡Silencio! Si ustedes interrumpen otra vez, lo voy
a ahorcar sin más discusión. ¿Cuál es su profesión?

BOB. — Escribo cuentos de aventuras.

PÉREZ. — Usted sabe de qué crimen lo acusan. ¿Es culpable
o no?

BOB. — Si . . .

TODOS. — ¿Sí?

JULIETA. — Eso no es verdad . . . ¡no puede ser verdad!

PÉREZ. — ¡Silencio! (*A* BOB) ¿Tiene algo que decir en su
defensa?

BOB. — Si . . .

TODOS. — ¿Sí?

BOB. — ¡No!

PÉREZ. — ¿En qué quedamos? ¿Sí o no?

BOB. — Ustedes me interrumpieron. Lo que quería decirles
es que si estuviéramos en los Estados Unidos y yo tuviera
bastante tiempo, me sería fácil probar que soy inocente.
Aquí, acabo de llegar, no conozco a nadie, ni tengo a nadie

que me defienda. Si a ustedes les divierte colgarme, ¡ pues háganlo ! De todos modos será una nueva aventura.

JULIETA. — Capitán Pérez ¿ me permite una pregunta ?

PÉREZ. — Por supuesto, señorita.

5 JULIETA. — El más sospechoso de los prisioneros tiene derecho a un abogado. ¿ Puedo tomar yo la defensa del extranjero ?

TERESA. — ¡ No seas loca, niña !

RENARD. — ¡ No le haga caso, capitán ! Si se puede probar que el prisionero es miembro de la familia, a mí me toca

10 defenderlo, como jefe de la casa y no a esta niña romántica, con sus locas ideas sobre los piratas.

JULIETA. — Usted no ha contestado a mi pregunta, capitán. Le hablo a usted y no a mi familia, que parece haber olvidado las leyes de la hospitalidad.

15 PÉREZ. — ¿ Qué dice el prisionero ? No quiero que nadie me acuse más tarde de haber hecho cosas injustas.

JULIETA. — Yo nunca he estudiado leyes. Pero haré su defensa lo mejor que pueda, sobre todo, teniendo en cuenta que ninguno está de su parte.

20 BOB. — Agradeceré mucho su ayuda, si es que se trata de algo verdaderamente serio. Todavía no puedo creer lo que me está ocurriendo. Después de todo, con excepción de la horca, para cualquier cosa son mejores dos cabezas que una.

RENARD. — Protesto por toda esta inútil discusión. ¿ Por qué

25 no proseguimos con el juicio ? Cuando usted termine, capitán, yo también tengo algunas preguntas.

BOB. — ¡ Ojalá que podamos terminarlo todo cuanto antes ! Sólo espero tener la oportunidad de escribir esto que me está pasando. Será el más interesante cuento de aventuras que

30 jamás haya intentado.

RENARD. — ¿ Ya puedo hacer mi pregunta ?

JULIETA. — ¡ Protesto ! Las leyes de la hospitalidad le prohiben a mi tío insultar a un huésped.

PÉREZ. — Protesto por tantas protestas. A la próxima pro-

35 testa, llamaré a mis guardias y les entregaré al prisionero. Continúe, señor Renard. Le pido, eso sí, que sus preguntas sean solamente para poner en claro los hechos.

RENARD. (*A* BOB) — Si usted acaba de llegar en un buque, el capitán de éste puede decirnos que lo trajo de Panamá. ¿ No es así?

BOB. — El capitán me trajo hasta cerca de la costa solamente. Cuando él supo en Puná que el río estaba lleno de piratas, 5 tuvo miedo de avanzar más. Hice el resto de mi viaje en un barco de pescadores.

RENARD. — ¿ Cómo se llamaban esos pescadores?

BOB. — No se lo pregunté. Ellos venían a Guayaquil y eso fué lo único que quise saber. Yo tenía interés solamente en 10 llegar aquí esta misma noche.

RENARD. — Es demasiado. He tratado de hacer todo lo posible por creerlo, pero es demasiado. Señor pirata, Taylor o cómo se llame: le ruego que no haga sufrir más a estas damas y perder más tiempo al oficial. ¿ Por qué no con- 15 fiesa su crimen? ¿ Por qué no dice que usted fué quien mató a la señora de Seminario?

BOB. — Veo que es usted y no yo quien debería escribir cuentos de aventuras.

RENARD. — Conteste a esta pregunta. Se ha probado que la 20 señora de Seminario murió de un tiro de pistola. ¿ Dónde está la pistola de usted?

BOB. — La señora me pidió que fuera a buscarla. Pero cuando fuí a mi cuarto, la pistola había desaparecido.

RENARD. (*Con ironía* [1]) — Después de que usted la mató, se- 25 guramente vinieron los fantasmas de Hermenegilda y se la robaron. ¡ Esto es demasiado ! Ya perdí la paciencia. (*Al capitán* PÉREZ) Capitán Pérez: acuso a este hombre de ser el jefe de los piratas que han atacado a esta ciudad; lo acuso, también, de haber asesinado al verdadero Bob 30 Taylor, robándole sus documentos; por último, lo acuso de haber asesinado en la forma más cobarde, a aquella inocente dama, la señora de Seminario.

JULIETA. — Hay que probar todo eso, capitán.

RENARD. — Lo probaré todo a su debido tiempo. Como 35 cabeza de la familia Seminario haré que sea vengado el

1. con ironía *sarcasticallv.*

crimen contra uno de sus honrados miembros.   Capitán
¿ me permite una reconstrucción de los hechos?

PÉREZ. — ¿ Reconstrucción?   ¿ Qué quiere usted decir? . . .
¿ Cuándo?

5 RENARD. — Aquí, ahora mismo.

PÉREZ. — ¿ Tiene algo que decir la defensa?

JULIETA. — Bob, ¿ tienes algo que decir?

BOB. — No tengo nada que perder.   Que siga con la reconstrucción . . .

10 PÉREZ. — Tiene usted mi permiso, señor Renard.

RENARD. — Necesitamos alguien que haga el papel de la
víctima.   (*Mirando por todas partes y deteniendo sus ojos en*
HERMENEGILDA) Tú, Hermenegilda, tú servirás.

HERME. — Pero, señor Renard.   Si yo he hecho el papel de
15 víctima desde que he nacido.   Fíjese que ni los muertos me
dejan en paz.

RENARD. — ¡ Silencio! Ve al cuarto de la señora de Seminario
y trae su sillón de ruedas.

HERME. — ¿ Y tengo que pasar por la capilla, frente a su
20 cadáver?

RENARD. — ¿ Y qué?   ¿ Acaso tienes miedo?

HERME. — Mucho miedo, señor Renard.   Tal vez se levanta
y me coge de un pie.   ¡ Con las ganas que siempre tuvo de
asustarme!

25 RENARD. — Hay que perder las esperanzas de convencerte.
Anda tú, Juan, y trae el sillón de ruedas.

JUAN. — Muy bien, señor.

(*Sale* JUAN *por la izquierda, primer término.*)

RENARD. (*Mirando a* BOB) — Ahora pronto probaremos quién
cometió el crimen.

30 BOB. — ¿ Qué le hace creer que fuí yo?   No hay razón en el
mundo que me obligara a matarla.

RENARD. — Entonces díganos quién estaba con la señora de
Seminario cuando ella fué asesinada.

BOB. — No lo sé.

35 RENARD. — ¿ No pidió usted que salieran los demás para quedar solo con ella?

BOB. — No fuí yo, sino ella quien les pidió que salieran.

RENARD. — ¿ Pero no lo hizo porque sospechaba que usted era el pirata?

JULIETA. — Mi abuela dijo que tenía sospechas. No mencionó nombres. Si hubiera sospechado que Bob era el pirata, 5 ella no se habría quedado sola con él.

RENARD. — Doña Tadea era una gran dama. Y creía que hasta los piratas podían ser caballeros. ¡ Qué caro la ha pagado !

> (*Entra* JUAN *por la izquierda primer término, con la silla de ruedas. La pone en la misma posición en que estaba cuando la señora de Seminario fué asesinada.*)

RENARD. — Muy bien. Ahora sí, Hermenegilda, siéntate en 10 el sillón.

HERME. — ¿ Pero . . . yo? ¿ Por qué no se sienta otro? ¿ Y si alguien me mata a mí también?

RENARD. — Siéntate aquí, donde estaba sentada doña Tadea cuando murió. 15

HERME. — ¡ Eso nunca ! ¡ No quiero ! ¿ Por qué no llama a uno de los guardias? ¿ Por qué no lo hace Anacleto, por ejemplo?

JULIETA. — No, Hermenegilda. Nosotros no podemos llamar a nadie que no sea miembro de la familia, hasta que probe- 20 mos la inocencia de Bob Taylor.

PÉREZ. — Estamos perdiendo demasiado tiempo.

RENARD. — Bueno. No hables más, Hermenegilda. Siéntate.

HERME. — ¡ No quiero !

TERESA. — Sólo por un minuto, Hermenegilda. Debes hacerlo. 25

HERME. — Todos abusan de mí porque soy tan tonta.

JUAN. — Usted debe ayudarnos a descubrir quién es el pirata antes de que nos mate a todos nosotros.

RENARD. (*Moviendo el sillón lentamente*) — Bien. Siéntate aquí, permanece quieta e imagínate que eres la muerta. 30

HERME. — ¡ No ! ¡ Eso no !

RENARD. (*A* BOB) — Usted tome su posición. Si usted iba a su cuarto o venía de él, como dice, usted debía estar cerca de la puerta. ¿ No es así?

BOB. — Estaba en mi cuarto cuando oí el tiro.

RENARD. — Esto es lo que usted dice. Pero la bala [1] debió partir desde la puerta.

BOB. — No lo sé.

5 RENARD. — Yo sí. Y lo probaré más tarde. Ahora, contésteme. ¿ Quién de los que estamos aquí se encontraba de ese lado de la casa?

BOB. — Nadie. Todos estaban del otro lado.

RENARD. — ¿ Incluyendo a Juan, también?

10 BOB. — Sí. Su esposa de usted le pidió que cerrara alguna ventana o algo así en su cuarto.

RENARD. — Exacto. Ahora, póngase en pie y párese allá cerca de esa puerta.

BOB. — ¿ Es necesario moverse tanto?

15 PÉREZ. — Haga lo que se le dice.

BOB. — Está bien, capitán. (*Va hacia la puerta de la derecha.*)

RENARD. — Ahora venga acá, capitán Pérez. (*Lo lleva hacia el extremo izquierdo de la escena. Señala la pared.*) ¿ Qué ve usted allí?

20 PÉREZ. — La indicación de una bala.

RENARD. — ¿ Qué más pruebas necesita? El pirata (*señalando a* BOB) estaba en la puerta cuando hizo fuego. La bala pasó a través del cuerpo de la pobre señora de Seminario y entró en esta pared. ¿ No lo cree así, capitán?

25 PÉREZ. — Ciertamente, así parece. ¿ Tiene algo que decir la defensa?

BOB. — Francamente, no comprendo lo que ocurre. Si continúo oyendo pruebas contra mí, yo mismo voy a convencerme de que he matado a la señora de Seminario y de que
30 soy el pirata.

JULIETA. — Nada ha sido probado todavía, ni siquiera que la bala saliera de su pistola.

RENARD. — Bien sabes que no podemos probar esto. No hemos visto su pistola. Lo probable es que él la echara al
35 río. Tuvo bastante tiempo para hacerlo.

PÉREZ. — ¿ Hay algo más?

1. bala *bullet.*

JULIETA. — Yo creo que apenas hemos comenzado. Y lo primero que necesitamos saber es si este hombre es o no es Bob Taylor.

TERESA. — Ustedes no me necesitan más para esto. ¿ Puedo ir a mi madre? 5

PÉREZ. — Le ruego esperar unos minutos, señora. No sabemos cuándo debemos hacerle unas preguntas. ¿ Tiene algo que preguntar al prisionero todavía, señor Renard?

RENARD. — Yo no. ¿ Por qué no dejamos que mi sobrina haga algunas? Ella parece tener muchas ideas en la cabeza. 10

PÉREZ. — ¿ Usted puede probar su identidad, señorita Julieta?

JULIETA. — Es mejor que lo haga él mismo. Bob ¿ tienes documentos que puedan probar quién eres?

BOB. — Claro. Si los fantasmas no se los han llevado como dice el señor Renard que le pasó a mi pistola. 15

RENARD. — Lo que dije es que usted probablemente corrió a su cuarto y echó la pistola por la ventana después de cometer el crimen.

BOB. — Bien. Pero seguramente no arrojé al río mis documentos, cartas de crédito [1] y otros papeles importantes. 20 Ustedes los encontrarán en la maleta que traje.

JULIETA. — ¿ Ellos probarán claramente que eres Bob Taylor, de los Estados Unidos?

BOB. — Supongo que ellos les darán a ustedes una buena idea de quién soy. 25

RENARD. — Entonces ¿ por qué esperamos más tiempo? Vamos a ver esa maleta.

PÉREZ. — Me parece muy buena idea.

TERESA. — Al menos para esto no me necesitan a mí, ¿ verdad?

PÉREZ. — No. Y si la necesitamos, la llamaremos. 30

TERESA. — Gracias, capitán. Y también quisiera que dejen salir a Juan. Hay detalles que debe preparar para el entierro de mañana.

PÉREZ. — Teniendo en cuenta que él no podría decirnos nada acerca de la identidad de este hombre, le permito ir con 35 usted.

---

1. carta de crédito *letter of credit* (to obtain money).

TERESA. — Muy bien. Entonces, Juan, cumpla usted con todo lo que le mandé.

JUAN. — Sí, señora. Lo haré en seguida.

(JUAN *sale por la izquierda segundo término.* TERESA *por la izquierda primer término.*)

RENARD. — Al fin ¿ vamos o no a la habitación del pirata? Y
5   no se preocupen, pues yo voy a vigilarlo para evitar que se escape.

(*Saca la pistola y vuelve a amenazar a* BOB.)

BOB. — Realmente siento no haberlo conocido antes, señor Renard. Usted habría sido un magnífico villano [1] en una historia de aventuras.

10 PÉREZ. — Guarde su pistola, señor Renard. Ya le he dicho que el prisionero no puede escaparse. La casa está bien guardada.

RENARD. — En situaciones como éstas sólo me gusta confiar en mí mismo.

15 PÉREZ. — No ha pensado bien en lo que está diciendo, señor Renard. No olvide que ahora soy yo quien representa la ley en esta casa. Por última vez . . . ¡ le ruego que guarde esa pistola !

RENARD. (*Enojado y de mala gana*) — Está bien, pues.

20 PÉREZ. — Creo que ha llegado el momento de examinar aquella maleta. ¡ Vamos !

(*Empiezan el mutis por la derecha primer término. Se adelanta* JULIETA.)

JULIETA. — Un momento, por favor, capitán Pérez.

PÉREZ. — Diga, señorita.

JULIETA. — Usted está seguro de que el prisionero no puede
25   escaparse ¿ verdad ?

PÉREZ. — ¿ No me oyó cuando se lo dije a su tío ?

JULIETA. — Usted no necesita a Bob mientras esté examinando sus papeles ¿ no es así ?

PÉREZ. — No, creo que no. A menos que . . .

30 JULIETA. — En ese caso, ¿ podría permitirle que permanezca en esta sala unos instantes ?

1. villano *villain.*

PÉREZ. — ¿ Aquí ? ¿ Por qué ? No comprendo . . .

JULIETA. — Como abogado suyo necesito hablar a solas con él, respecto a algunas cosas.

RENARD. — ¡ Protesto !

PÉREZ. — Lamento no considerar su protesta, señor. Me 5 parece justo que el prisionero y su abogado tengan la oportunidad de considerar la defensa.

BOB. — No tenga miedo de que a mí también me roben los fantasmas, señor Renard. Julieta estará aquí para protegerme. Además, si tanto teme que me escape ¿ por qué no 10 le da su pistola para estar seguro ?

PÉREZ. — Basta. Venga, señor Renard.

HERME. — ¡ Santo cielo, señorita Julieta ! ¿ No tiene miedo al pensar que puede matarla como mató a su abuelita ? 15

JULIETA. — No digas tonterías.

BOB. (*A* HERMY) — No olvides que si alguien tiene que morir, eres tú, Hermy. Ocupas el sitio de la muerta. Así que te toca por derecho.

HERME. (*Saltando del sillón*) — Capitán, lléveme con usted. 20 ¿ Oyó lo que él dijo ? Prefiero la compañía de la Viuda del Tamarindo a la de este pirata.

PÉREZ. — Al fin ¿ qué es esto ? ¿ Una tertulia de fantasmas y de tontos, o el juicio de un pirata y asesino ? Vamos, vamos pronto. Y usted también, Hermenegilda. La necesi- 25 tamos a usted para ver si algo ha cambiado desde que arregló el cuarto.

HERME. (*Resignada*) — Vamos, pues. Todos abusan de mí porque soy tan tonta.

(RENARD, PÉREZ *y* HERMENEGILDA *salen por la derecha primer término.*)

JULIETA. — No tenemos mucho tiempo para hablar, Bob. 30

BOB. — Tampoco tenemos mucho que decir.

JULIETA. — Pero no eres el pirata ¿ verdad ?

BOB. — ¿ Qué piensas ?

JULIETA. — Francamente no sé qué decirte. Todo parece probar que eres culpable. 35

BOB. — Es necesario que mi abogado crea en mi inocencia, ¿ no?

JULIETA. — No sé lo que hacen los verdaderos abogados. Lo que quiero es ayudarte. La dificultad es que todo lo tomas a broma.

BOB. — Ese es mi carácter. ¿ Preferirías que llorase?

JULIETA. — Preferiría que te dieras cuenta del peligro en que te encuentras.

BOB. — Antes también he encontrado peligros.

JULIETA. — Así me lo dijiste. Pero cuando es cuestión de la vida, sólo se la puede perder una vez.

BOB. — ¿ Sentirías que la perdiera?

JULIETA. — Bien sabes que sí.

BOB. — Esto cambia las cosas. Si es verdad lo que me dices, puede ser que yo me deje de tonterías y mire más seriamente este juicio. Pero todo esto es tan fantástico.

JULIETA. — Es tiempo de que estudiemos el asunto.

BOB. — Muy bien. ¿ Qué podemos hacer?

JULIETA. — Esto es lo que quiero preguntarte.

BOB. — Para decir verdad, la situación me parece muy confusa. A tu tío nada le gustaría tanto como hacer práctica de tiro con su pistola en mi cuerpo. Tu tía Teresa quiere vengar en mí la muerte de su madre. Hermy me mira como si yo fuera ya uno de sus fantasmas. Y el capitán Pérez está contando los minutos que faltan para colgarme de un árbol.

JULIETA. — Te equivocas respecto al capitán. El es el único que aquí tiene interés en darte una oportunidad de defenderte. Pero no veo qué podemos esperar. No creo que pueda ayudarte mucho. Las mujeres no sabemos nada de leyes.

BOB. — Todo lo que podemos hacer es tratar de ganar tiempo. Si pudiéramos tardar hasta la medianoche . . .

JULIETA. — Sí. Yo he estado pensando en eso. Según nuestras cartas, algo va a ocurrir a esa hora. Supongo que no sabes de qué se trata.

BOB. — No. Esta vez les dije la verdad.

JULIETA. — ¿ Otra broma?

BOB. — Estoy tratando de mirar esto tan seriamente como me lo pides. Y déjame decirte que si hay alguien a quien quisiera agradarle es a esta prima mía a quien acabo de conocer.

JULIETA. — ¿A mí? 5

BOB. — A ti. Eres lo mejor que he conocido en todo el viaje. Y ahora que te he empezado a tratar . . .

JULIETA. — ¿Qué?

BOB. — Empiezo a apreciar más mi vida. Y no tengo ganas de perderla sin necesidad. 10

JULIETA. — ¿Pero todo lo que sugieres es que tratemos de evitar cualquier decisión hasta la medianoche?

BOB. — A menos que ellos crean que cuanto traigo conmigo es realmente mío. Debo confesar que no he encontrado ningún argumento contra el cargo de que lo puedo haber 15 robado a su verdadero dueño. ¡Si solamente hubiese traído una prueba como mi retrato, por ejemplo! Sé perfectamente que tardaría meses en probar cualquier cosa por medio de los capitanes de los barcos que me trajeron hasta aquí. 20

JULIETA. — Trataremos de encontrar las pruebas necesarias.

(*Por la derecha primer término entra* HERMENEGILDA *armada de una escoba*,[1] RENARD *con una pistola en la mano y* PÉREZ *llevando la maleta de* BOB.)

RENARD. — Aquí está. Regresamos antes de que pudiera escaparse. (*A* BOB, *amenazándolo con la pistola*) ¡No se mueva!

PÉREZ. — Vigile el menor de sus movimientos, señor Renard, y al menor gesto, mátelo. El es capaz de todo. 25

BOB. — ¿Qué pasó?

JULIETA. — ¿Qué les ocurre a todos ustedes? (*Trata de pararse entre* BOB *y* RENARD.)

PÉREZ. — ¡Hágase a un lado, por favor, señorita! Usted no sabe la clase de hombre que es él. 30

HERME. (*Alzando la escoba*) — Señor Renard, si usted no lo mata con la pistola, yo le abro la cabeza con esta escoba. ¡Bandido pagano[2]!

---

1. escoba *broom*.   2. pagano *heathen*.

BOB. — ¿ Pagano? ¡ Soy tan cristiano como usted ! ¿ Qué he hecho ahora ?

PÉREZ. — ¡ Silencio !

JULIETA. — Pero, capitán. ¿ Es que la maleta no contenía las
5 pruebas ?

RENARD. (*Con ironía*) — Sí. Ahora sabemos exactamente quién es él.

JULIETA. — Bien. Entonces déjenlo libre y pídanle perdón por sus sospechas.

10 PÉREZ. — ¿ Querría ver las pruebas, señorita ?

JULIETA. — No. No las necesito. Desde el principio estuve segura de quién era. Pero ahora que usted lo sabe ¿ por qué hace eso ?

PÉREZ. — Creo que es mejor que usted vea las pruebas que
15 llamaron nuestra atención. Así se dará cuenta de quién es este pagano. (*Abre la maleta y saca de ella un cáliz.*[1]) ¿ Lo reconoce ?

JULIETA. — Claro. Es el cáliz que el abuelo mandó hacer para la catedral. Es una de las cosas que se robaron los piratas
20 el año pasado cuando atacaron a Guayaquil. Pero ¿ qué tiene que ver esto con . . . ?

PÉREZ. — ¿ Es que todavía no se da cuenta, señorita Julieta ?

JULIETA. — No me va a decir que encontró ese cáliz en la
25 maleta del señor Taylor.

BOB. — ¿ Dónde están los papeles y documentos que tenía allí ?

PÉREZ. — ¡ Usted, cállese ! Ya no tiene derecho ni a hablar. Mientras se probaba quién era, podía defenderse. Pero
30 ahora que sabemos que es un pirata, un pagano, un ladrón de catedrales, usted ha perdido todos los derechos.

JULIETA. — Pero usted no puede decir, capitán . . .

PÉREZ. — ¿ Es que todavía trata de defenderlo ? ¿ Qué más necesita para convencerse ? Según él, su maleta contenía
35 lo que probaría su identidad e inocencia. ¿ Ve usted algunas cartas ? ¿ Ve algunos documentos ? ¿ Ve usted algo

1. **cáliz** *chalice, Communion cup.*

más que este precioso cáliz robado en la catedral la última vez que él y sus hombres vinieron aquí?

JULIETA. — Entonces, ¿ por qué les dijo que miraran su maleta si ustedes sólo iban a encontrar ese cáliz? ¿ No les parece raro? 5

RENARD. — El jamás pensó que nosotros fuésemos a examinar su maleta. El contaba con que nuestra confusión lo ayudaría a escaparse.

JULIETA. — No puedo creer que él sea capaz de robarse el cáliz en la catedral. 10

PÉREZ. — Los piratas no tienen Dios ni Ley.

JULIETA. — Pero si se lo robó ¿ por qué tiene que llevarlo consigo? ¿ Por qué no lo ha repartido entre los suyos?

RENARD. — Seguramente no quiso dar a conocer a sus hombres que él tenía una cosa de tanto valor. Es tan pequeño 15 que se puede ocultar fácilmente y cuando él trataba de escapar, lo más natural es que lo trajera en su maleta. Con el oro y las piedras preciosas representa una fortuna en cualquier parte.

PÉREZ. — Bueno. Ya hemos hablado bastante. Es la hora de 20 hacer algo. Después de estas pruebas debemos llamar a los soldados y llevar al pirata para ahorcarlo.

RENARD. — ¿ Para qué llamar a los guardias? ¿ No se trata del asesino de dos miembros de la familia Seminario? Podríamos ahorcarlo aquí mismo en el zaguán y así nos evi- 25 taríamos el escándalo que mancharía nuestro nombre.

JULIETA. — Yo no veo donde está el escándalo. Si él es el pirata y mató a Bob Taylor como ustedes piensan, él no es de nuestra familia. El debe ser colgado en la plaza mañana al mediodía, como un ejemplo que todos puedan ver. 30

BOB. — Me parece que yo tengo algún derecho a tomar parte en la discusión sobre cuándo y dónde me van a ahorcar.

RENARD. — Se acabaron todos sus derechos.

BOB. — Nunca se niega la última petición [1] de un hombre que pronto va a morir. 35

PÉREZ. — Tiene razón. ¡ Hable !

1. petición *request.*

BOB. — Usted debe saber que los piratas tienen una costumbre . . .

PÉREZ. — A mí no me interesan las costumbres de los piratas.

BOB. — Pero capitán, usted es soldado.

5 PÉREZ. — Lo soy. ¿Qué hay con eso?

BOB. — Usted respeta las costumbres militares, ¿no?

PÉREZ. — Naturalmente.

BOB. — Bien. A los piratas también, que son una especie de soldados, les gusta que se respeten sus costumbres. Y debo
10 recordar a usted que los piratas siempre son ahorcados al amanecer.

PÉREZ. — Jamás supe de esa costumbre.

BOB. — Lo sabe ahora. Mi petición es que usted no me cuelgue hasta el amanecer.

15 RENARD. — Es demasiado tiempo y, por otra parte, él está contando con que los suyos lo salven.

BOB. — Al menos, déjeme vivir hasta la medianoche.

RENARD. — Eso es una tontería.

BOB. — Es el último deseo de un hombre a quien van a
20 ahorcar.

JULIETA. — No niegue su última petición, capitán.

PÉREZ. — Estoy de acuerdo con el señor Renard de que esto no es sino un pretexto para dar a los otros piratas la oportunidad de salvarlo.

25 JULIETA. — Me pareció que usted dijo que solamente unos pocos piratas habían escapado. Seguramente usted tiene bastantes soldados para capturarlos si ellos tratan de salvarlo, y entonces piense en la oportunidad que usted tendría. No solamente capturaría al capitán de los piratas
30 sino que también tendría la gloria de capturar a todo el resto de sus hombres.

PÉREZ. — No había pensado en esto. Parece que ahora está usted convencida de que este hombre es culpable.

JULIETA. — Hay muchas pruebas.

35 PÉREZ. — Entonces ¿no se me acusará de haber sido injusto?

JULIETA. — No si usted espera hasta la medianoche.

RENARD. — Por mí lo hubiera matado desde hace algún rato

y me hubiera ido de esta casa con mi esposa, aunque fuera
llevándome el cadáver de la señora de Seminario. Y todavía creo que debiéramos ahorcarlo en seguida.

PÉREZ. — Me gusta lo que sugirió la señorita Julieta. Muerto
él, perderíamos la oportunidad de capturar al resto de los 5
piratas que todavía andan libres.

RENARD. — No veo por qué. Si lo colgamos en el zaguán,
los otros piratas no lo sabrán.

PÉREZ. — Seguro que lo sabrán. Ellos tienen espías en todas
partes. 10

RENARD. — En este caso, no le quitaré los ojos de encima. No
va a escapar esta noche.

PÉREZ. — Ya lo creo, porque seguiremos vigilando. De todos
modos, le prohibo matar a este hombre. Si quiere vigilarlo
durante los pocos minutos que le faltan de vida, no me 15
opongo. Pero no olvide que tenemos que usarlo para
capturar el resto de los piratas. Ahora iré a avisar a los
soldados para que aumenten su vigilancia, pero regresaré
a la medianoche, para llevarlo a la horca.

(*Sale* PÉREZ *por la izquierda segundo término.*)

RENARD. (*A* BOB) — Te voy a encerrar en un cuarto de donde 20
no podrás escaparte, asesino. Si lo intentas, a pesar de lo
que dice el capitán Pérez, te mataré como a un perro.
¡ Vamos !

(BOB *y* RENARD *salen por la derecha primer término. El
segundo lo guarda con su pistola.*)

HERME. — ¿ Todavía no está convencida, señorita ?

JULIETA. — No lo sé. 25

HERME. — ¿ No le alegra que hayan capturado al asesino de
su abuelita ?

JULIETA. — No lo sé.

HERME. — Bien. Yo sí estoy contenta. Cuando lo ahorquen,
iré con mi novio Anacleto a ver cómo baila colgado de una 30
cuerda.

JULIETA. — No hables así. ¿ Es que no tienes sentimientos ?

HERME. — Claro que los tengo. Es por eso que me alegra

que castiguen a ese pagano. Y pienso que usted también
debería estar alegre.

JULIETA. — No sé qué decirte. A pesar de las pruebas, a
pesar de que mi razón me dice que él es culpable, en mi
5   corazón todavía hay dudas.

HERME. — Es que usted es demasiado buena. A usted la hace
triste hasta la muerte de un pajarillo.

JULIETA. — No. No es eso. Es que me parece muy duro que
un hombre tan joven, tan simpático, tan valiente, reciba
10   una muerte tan cruel.

HERME. — Lo que ocurre es que usted es demasiado romántica, señorita Julieta. Y ésa es culpa del marino Rodrigo,
el que desapareció con su abuelo. El le llenó la cabeza de
cuentos románticos desde que usted era niña.

15 JULIETA. — Todavía recuerdo algunos de ellos.

HERME. — Por eso usted se pone así. El le metió en la cabeza
la idea de que los marinos eran valientes caballeros y usted
cree que los piratas son una especie de héroes de capa y
espada [1] que protegen a las damas hermosas.

20 JULIETA. — Puede que tengas razón, Hermy, pero de todos
modos lo siento por este joven.

HERME. — Por bandidos como él no se debe sentir ninguna
pena. Debíamos haberlo colgado ya, antes de que pase
alguna nueva desgracia.

(RENARD *entra por la derecha primer término. Le sale sangre
de una herida* [2] *en la cabeza.*)

25 HERME. — ¿ Qué ocurrió, señor Renard ?

RENARD. — Lo que yo me temía. El pirata me atacó en el
corredor.

JULIETA. (*Con emoción*) — ¿ Quiere decir que se escapó ?

RENARD. — ¿ Escapar ? Ese no se escapará más.

30 JULIETA. — ¿ Por qué ? . . . ¿ Lo mató usted ? ¿ Está muerto ?

RENARD. — Desgraciadamente, no. Lo capturé y lo tengo en-
cerrado bajo llave. Pero voy a buscar al capitán Pérez
para que lo cuelgue inmediatamente.

JULIETA. — Primero déjeme ver su herida.

1. capa y espada, *see* capa *in vocabulary.*   2. herida *wound.*

RENARD. — ¡ Más tarde, más tarde ! Ahora debemos colgarlo en seguida y arreglarlo todo para salir de esta casa, antes de que lleguen sus cómplices.

HERME. — Pero tiene usted la cabeza llena de sangre.

RENARD. — El me rompió un vaso de flores en ella, cuando 5 pasábamos por el corredor. Pero no puedo perder ni un minuto ahora.

JULIETA. — Tío, yo quiero explicarle que ...

RENARD. — Ahora no. Dentro de cinco minutos tendremos a ese pirata donde no volverá a hacer daño a nadie. 10

(*Sale* RENARD *por la izquierda segundo término.*)

(*TELON*)

III

La misma decoración de los dos actos anteriores. El reloj marca 25 minutos para las 12.

Al levantarse el telón, están en escena HERMENEGILDA *y* JULIETA.

HERME. — ¡ Qué raro que todavía no venga el señor Renard !

JULIETA. (*Mirando el reloj*) — Ya han pasado quince minutos, desde que se fué.

HERME. — Si no viene rápidamente con el capitán Pérez, se
5 van a cumplir los deseos del pirata. Pronto será la medianoche.

JULIETA. — ¡ Ojalá que no lleguen hasta después de las doce !

HERME. — ¿ Es que todavía espera que ocurra algo que salve a ese extranjero?

10 JULIETA. — Creo que a la medianoche pueden pasar cosas importantes. ¡ Quién sabe . . . !

HERME. — ¿ Quién sabe, qué?

JULIETA. — No . . . nada . . .

(JUAN *entra por la izquierda segundo término*.)

JUAN. — Ya está arreglado casi todo para el entierro. ¿ Dónde
15 está doña Teresa?

JULIETA. — Está en la capilla. La reemplazaré [1] ante el cadáver de la Abuelita. Ella quería indicarle cómo va a arreglarse la sala.

(*Sale* JULIETA *por la izquierda primer término*.)

HERME. — ¿ Cree usted que vuelvan los piratas?

1. reemplazar *to replace*.

JUAN. — Creo que no. Esta vez han tenido lo que merecen. Su poder en nuestras costas se ha acabado.

HERME. — ¿ Lo dice porque hemos capturado a su jefe?

JUAN. — Esta noche se acabará la historia del capitán de los piratas. Estoy seguro de ello. 5

(TERESA *entra por la izquierda primer término.*)

TERESA. — Julieta me dijo que ya arregló todo para el entierro de mañana.

JUAN. — Casi todo, doña Teresa. Sólo espero saber qué desea usted respecto al arreglo de la sala.

TERESA. — Pues es muy sencillo. Pondremos el cadáver aquí, 10 en el centro; algunas cortinas en las puertas, la tela negra que se pueda conseguir a los lados.

JUAN. — Voy a conseguir todo eso mañana.

TERESA. — ¿ Avisó a algunas personas?

HERME. — ¿ A quién va a avisar, si casi toda la gente — menos 15 nosotros — se ha ido de Guayaquil?

JUAN. — Y los que han quedado aquí y a quienes les toqué la puerta, ni siquiera me contestaron. Les avisaré mañana temprano.

HERME. — Yo creo que el señor Renard tiene razón. 20

TERESA. — ¿ Razón?

HERME. — Sí. Lo mejor sería irnos esta misma noche, como han hecho la mayoría de las familias de buen juicio.

(*Entra* RENARD *por la izquierda segundo término.*)

RENARD. (*Con el rostro alterado*) — ¿ No ha venido todavía el capitán Pérez? 25

TERESA. — Yo no lo he visto.

RENARD. — No puedo imaginarme donde está. Lo he buscado por todas partes, inútilmente. Los guardias me dijeron que estaba haciendo la ronda. He tomado una canoa y también he dado algunas vueltas por el río, sin en- 30 contrarlo. En cambio, encontré canoas. De una de ellas me tomaron por el pirata y me querían prender. ¡ Ojalá quede vivo después de esta noche !

JUAN. — No le pasará nada si no se aleja mucho de la casa, señor Renard. 35

RENARD. — No pensaba dejar la casa. Pero si hay más piratas que vienen a atacar a Guayaquil, las señoras debían salir en seguida. Pronto cambiará la marea [1] y entonces será más difícil huír. Preparé todo mientras anduve bus-
5   cando al capitán. ¿No crees que es mejor salir ahora mismo, Teresa?

TERESA. — Yo estaría conforme si no fuera por el cadáver de mi madre. ¿No crees que podríamos llevarlo con nosotros en el buque?

10   HERME. — ¡No en el buque donde yo vaya! Usted sabe lo que les pasa a los marinos que ven a la Viuda del Ataúd flotando en el río. Se mueren.

TERESA. — Preferiría que mamá no estuviera aquí cuando los piratas regresen.

15   RENARD. — Ellos no insultarían un cadáver, Teresa. Pero no te preocupes. Yo los acompañaré una parte del camino y luego regresaré y haré que tu madre sea sepultada con todos los honores y respetos que ella se merece.

TERESA. — No me fío de ti, Pierre. Tú nunca quisiste a mi
20   madre.

RENARD. — Eres injusta al decirme eso; además, la muerte cambia todas las cosas.

TERESA. — Hay otra razón por la cual no puedo dejar la casa esta noche.

25   RENARD. — ¿Otra razón? No entiendo . . .

TERESA. — Te lo había ocultado hasta ahora, pero debo confesarte algo.

RENARD. — Di.

TERESA. — Al anochecer de hoy cada una de nosotras recibió
30   una carta dándonos una cita para la medianoche, aquí, en esta sala. Se trata de discutir un asunto de familia.

RENARD. — ¿Cartas sobre ese asunto? . . . Claro. Yo ya lo sabía.

TERESA. — ¿Lo sabías? ¿Cómo? ¿Es que también reci-
35   biste una carta?

RENARD. — Mejor que eso. Yo las escribí todas.

---

1. **marea** *tide.*

TERESA. — ¿Tú? Imposible. Conozco bien tu letra.

RENARD. — Nunca has visto las cosas que escribo con la mano izquierda.

JUAN. — ¿Dice usted que escribió las cartas, señor Renard?

RENARD. — Por supuesto. Me lo pidió la señora de Seminario. Ella quería que toda la familia la ayudase a celebrar un aniversario que quizá ustedes habían olvidado.

TERESA. — Yo no. ¿Cómo iba a olvidarlo? Mañana cumplían sus bodas de oro.

RENARD. — Así es. Ella proyectaba celebrarlas dándonos a ti y a mí su casa, sus haciendas y sus joyas.

TERESA. — Lo que no me explico es por qué jamás me dijera nada de esto.

RENARD. — Se trataba de una sorpresa. Precisamente me habló de eso cuando regresé hoy.

TERESA. — Pero entonces, ¿por qué podría haber mandado esa carta a Norte América al verdadero Bob Taylor a quién mató ese pirata?

RENARD. — También él era de la familia, ¿no es así? Quería hacerle un pequeño regalo, lo mismo que a Julieta. Y ahora que lo saben, no perdamos más tiempo. Después arreglaremos el asunto de la herencia. Lo mejor es dejar esta casa antes de que sea demasiado tarde.

TERESA. — Muy bien. Le iré a decir a Julieta que esté lista.

JUAN. — ¿Puedo sugerir algo?

RENARD. — Mejor es que no sugieras nada.

JUAN. — Sin embargo, ya que doña Tadea le pidió a usted especialmente que . . .

RENARD. — La señora de Seminario está muerta. Nuestro deber es con los vivos. No creo que debemos permanecer en casa, sin defensa, hasta que lleguen los piratas. (*A* HERMY) Tú quédate aquí y llámame tan pronto como venga el capitán Pérez. Debe llegar de un momento a otro.

HERME. — ¿Aquí? ¿Yo? ¿Solita? ¿Por qué mejor no le habla Juan?

RENARD. — Juan debe ayudarme a cargar lo que vamos a llevar.

HERME. — Yo también puedo hacerlo.

TERESA. — Cállate y obedece.

HERME. — Todos abusan de mí porque soy tan tonta.

(*Por la izquierda primer término, salen* TERESA, RENARD *y* JUAN. *Por un momento el escenario queda silencioso, mientras crece la nerviosidad de* HERMY, *que mira con miedo por todas partes. De pronto empiezan a escucharse pasos que parecen brotados de la tierra.*)

HERME. (*Haciendo cruces*) — Estoy oyendo ruidos otra vez.

5   Aquí vienen los fantasmas. ¡Angel de mi guarda, dulce compañía, no me abandones ni de noche ni de día! Alma en pena, te prometo tres velas el próximo domingo. (*Los pasos se calman.*) ¡Vaya! Se calmaron. (*Los pasos suenan más fuertes.*) No. No se calmaron. Te daré nueve velas,

10   alma en pena.

(*Se oye gran ruido. Cae la silla puesta en frente de la trampa, cuya puerta se abre apareciendo* ANACLETO, *en la obscuridad.*)

HERME. (*Gritando*) — ¡Socorro! ¡Socorro! ¡Los fantasmas!

ANAC. — ¡Hermy! ¡Hermenegildita! ¡Querida! Soy yo. Tu Anacletito.

HERME. — Pobre Anacleto. (*Llorando*) Los piratas lo mataron

15   y ahora viene su fantasma. ¡Socorro! ¡Socorro! (*Quiere caminar pero no puede. Toda ella tiembla.*)

ANAC. — No tengas miedo, que soy yo, Hermenegilda. (*Entra por la trampa.*)

HERME. (*Haciendo cruces en el aire con las manos da unos pasos para*

20   *atrás*) — ¡Vete! ¡Vete! ¡Te quería vivo, pero tu fantasma me da miedo! ¡Vete!

(*Entra el capitán* PÉREZ *por la puerta secreta.*)

PÉREZ. — ¡Ajá! Es aquí donde termina el túnel.

HERME. — ¿Es que . . . a usted también lo mataron los piratas, capitán?

25 ANAC. — Hermenegilda, ¿no puedes comprender que no estamos muertos? ¡Estamos vivos!

HERME. — Si estuvieran vivos, no podrían atravesar las paredes.

PÉREZ. — No seas tonta. ¿No ves que es una puerta secreta?

Lo que me preocupa es ese otro túnel, Anacleto. Regresa y sigue investigando. (ANACLETO *sale por la trampa.*) Quiere decir entonces que el corredor que encontramos a la entrada, por el río, debe conducir a otro sitio. ¡Nunca vi una casa tan misteriosa como ésta! 5

> (*Entran* TERESA, RENARD, JULIETA *y* JUAN, *por la izquierda primer término.*)

RENARD. — ¿Qué pasó? ¿Qué gritos son éstos? ¡Ah, es usted, capitán! Lo he estado buscando por todas partes. (*Viendo la trampa abierta*) ¿Y qué es eso?

PÉREZ. — A la orilla del río encontramos la entrada de un túnel y siguiéndolo llegamos hasta aquí. 10

RENARD. — Seguramente la señora de Seminario no sabía nada de eso. Jamás nos habló de ese túnel.

HERME. — Señorita Julieta . . .

JULIETA. — ¿Qué?

HERME. — Entonces . . . ¿es verdad que ellos no son fantas- 15 mas? El de Anacleto acaba de desaparecer.

JULIETA. — ¿Cuándo sabrás que los fantasmas sólo están en tu propia imaginación, Hermenegilda?

HERME. — Bien. Puede ser que esta vez ellos no sean fantasmas. Pero yo he visto muchos fantasmas. 20

PÉREZ. — ¿Dijo usted que me estaba buscando, señor Renard?

RENARD. — Sí, capitán. Es tiempo de hacer algo con el pirata. Es muy peligroso. ¡Mire lo que me hizo apenas estuvimos solos! 25

PÉREZ. — Ahora más que nunca es importante mantenerlo vivo. Por todo lo que he estado viendo, esta casa con sus túneles y corredores podría ser justamente la que los piratas hayan elegido como guarida.[1] Y cuando ellos vengan, los cogeremos como ratas en una trampa. 30

RENARD. — ¿Usted cree que ellos regresen?

PÉREZ. — Estoy seguro de ello. En el bolsillo de un pirata muerto uno de mis hombres encontró un mapa de la orilla del río, con esta casa marcada con una cruz.

1. guarida *hide-out.*

RENARD. (*A las mujeres*) — ¿ Lo oyeron? Creo que sería una tontería quedarse más tiempo aquí. Empiezo a comprender por qué mataron ellos al verdadero Bob Taylor.

JULIETA. — ¿ Qué ganaban con hacerlo?

5 RENARD. — El capitán Pérez dijo que esto parecía una guarida de piratas con túneles y puertas secretas, de suerte que podría ser un magnífico cuartel general para un ataque a la ciudad.

JULIETA. — Por eso sería que mi abuelita estuvo el otro día
10 examinando las paredes. Ella debe haber encontrado algo.

JUAN. — ¿ Ella no dijo de qué se trataba?

JULIETA. — Sí. Ella dijo que tenía que buscar algunos carpinteros porque las hormigas blancas[1] se estaban metiendo en todas partes.

15 HERME. — No son hormigas blancas. Son fantasmas. Ellos han estado construyendo estos túneles para ayudar a alguien a encontrar el tesoro escondido. Los fantasmas no pueden dormir tranquilos mientras lo estén vigilando.

RENARD. — Bien. Si hay algo aquí ya lo veremos más tarde.
20 Ahora vámonos, ya que todavía es posible. ¿ Está todo listo, Juan?

JUAN. — Casi. Tardaremos cinco o diez minutos en llevar las cosas al buque.

(*Mira el reloj.*)

JULIETA. — ¿ Por qué no nos quedamos aquí hasta que ama-
25 nezca?

TERESA. — Eres una chiquilla y no te das cuenta del peligro que estás corriendo. ¿ Tú crees que si no fuera por esto yo abandonaría el cadáver de mi madre?

PÉREZ. — Muy bien. Ustedes pueden marcharse cuando les
30 guste. Entre tanto yo veré qué ha descubierto Anacleto en los túneles.

HERME. — ¿ Está usted realmente seguro de que Anacleto no es un fantasma? ¿ Es verdad que está vivo?

PÉREZ. — ¿ Ese? Ese se pasa de vivo.

(*El capitán* PÉREZ *sale por la trampa.*)

1. hormiga blanca *termite.*

TERESA. — Por última vez, Pierre, ¿ no podemos llevar con nosotros el cadáver de mi madre?

RENARD. — Claro que no podemos. Pero te prometo una cosa. No haremos el entierro hasta mañana por la tarde. Si la ciudad está a salvo, regresarás y tus amigos vendrán también y nos acompañarán hasta el cementerio. Entre tanto, yo me quedaré aquí.

JULIETA. — Si yo voy es contra mi voluntad, sólo porque ustedes insisten tanto.

HERME. — Yo no. Estoy muy contenta de marcharme. No me gusta que los fantasmas y los piratas se hayan puesto de acuerdo para trabajar juntos.

JULIETA. — No les tengo miedo ni a los unos ni a los otros. Me parece absurdo salir de aquí a exponernos en un pequeño buque a las corrientes del río. Es peligroso.

RENARD. — ¿ No va Juan con ustedes? El es un viejo lobo de mar.[1] Conoce el agua mejor que nadie por aquí. Con él estarán más salvos en agua que en tierra.

TERESA. — Esto es verdad, Julieta. Antes de ir a trabajar con Pierre, era marino o algo así. ¿ No es verdad, Juan?

JUAN. — Fuí oficial de un barco durante veinte años.

RENARD. (*Sorprendido*) — Jamás me dijiste eso. ¿ A dónde viajabas?

JUAN. — Generalmente a España. Hice algunos viajes a través del Cabo de Hornos con el capitán Seminario.

RENARD. — ¿ Es verdad? Felizmente no hiciste el último, del cual no regresó nadie.

TERESA — Nunca supe que hubiese viajado con mi padre.

JUAN. — He pasado la mayor parte de mi vida en el mar . . .

RENARD. (*Interrumpiéndolo*) — Otro día podemos discutir la vida de Juan. Si queremos usar la marea debemos salir en seguida. Vamos a buscar nuestro equipaje.

JULIETA. — Para tan pocas horas, yo puedo ir así como estoy. Hermenegilda puede traerme una manta para abrigarme durante el viaje por el río.

TERESA. — Yo estaré lista tan pronto como vaya a la capilla,

1. lobo de mar *seadog*.

vea a mi madre y me despida de ella.   La pobre ni siquiera
va a tener compañía durante sus últimas horas aquí.

RENARD. — No te preocupes por tu madre.   El entierro es-
perará hasta que todos regresen.   Juan, ve y lleva todo lo
5   que las señoras necesiten.   Yo cuidaré de que nadie vaya a
robarse el barco.

(RENARD *sale por la izquierda segundo término.*   HERMENE-
GILDA *y* TERESA *salen por la izquierda primer término.*)

JULIETA. — Espere un momento, Juan.   ¿ Cree que debemos
irnos?

JUAN. — Es mejor que usted decida eso, señorita.

10   JULIETA. — No puedo.   Estoy tan confusa.   Parece mentira
que ésta sea la misma casa y nosotros seamos las mismas
personas que estábamos aquí después de comer.

JUAN. — Sí.   Las cosas han cambiado.

JULIETA. — Todo es como una aventura fantástica.   ¿ Cómo
15   puede permanecer usted tan sereno?

JUAN. — A un marino siempre le ocurren aventuras casi fan-
tásticas, señorita.   Por otro lado, es también parte de mi
deber.   Hice una promesa a su abuelo cuando él estaba
muriendo, y estoy tratando de cumplirla.

20   JULIETA. — ¿ A mi abuelo?   ¿ Muriendo?   Me pareció que
usted dijo que no había estado en su último viaje.

JUAN. — Yo no lo negué.   Fué el señor Renard quien lo dijo.
Y no dije nada porque no quise decirle la verdad.

JULIETA. — ¿ Y entonces por qué me la dice a mí?

25   JUAN. — Señorita Julieta, ¿ recuerda a un marino a quien le
gustaba llevarla a bordo de su barco, cuando usted tenía
unos cinco años, y le contaba historias de marinos y piratas,
que cada vez que regresaba de sus viajes le traía algún
regalo?

30   JULIETA. — ¿ Usted se refiere a Rodrigo?   Hermy y yo estuvimos hablando de él esta noche.

JUAN. — Yo soy Rodrigo.

JULIETA. — ¿ Usted? . . .

JUAN. — No me parezco mucho a él ¿ no es así?   Eso se debe
35   a lo que me hicieron los piratas en el último viaje del

capitán Seminario. Ellos habían oído decir que don Arístides tenía un tesoro muy grande. Trataron de hacernos decir dónde estaba escondido.

JULIETA. — ¿Y ustedes lo dijeron?

JUAN. — Yo no lo sabía. Y usted conocía a su abuelo. Era todo un hombre. Los piratas no pudieron sacarle ni una sola palabra.

JULIETA. — ¿Y entonces lo mataron?

JUAN. — Así lo creyeron ellos. Lo dejaron sin sentido y le prendieron fuego a su barco. También pensaron que yo estaba muerto. Pero como pude, saqué al capitán Seminario hasta la cubierta, entre las llamas, y después me lancé con él al agua, poniéndolo sobre unos maderos.[1] El estaba gravemente herido y murió al poco tiempo, no sin antes hacerme prometer que cumpliría sus últimos deseos.

JULIETA. — ¿Sus últimos deseos? ¿Cuáles fueron?

(*Por la trampa entra el capitán* PÉREZ.)

PÉREZ. — Parece que hemos llegado al fin de nuestra investigación.

JUAN. — ¿Qué ha ocurrido?

PÉREZ. — Hemos seguido el túnel hasta una puerta de hierro, que no hemos podido abrir. Anacleto está tratando de ver si hay algún botón o resorte [2] secreto, mientras yo voy a buscar algunos soldados para forzar [3] esa puerta si es necesario.

JUAN. — Puede ser que nosotros tengamos una barra de hierro que le sirva.

PÉREZ. — Ojalá que sí, porque de noche — y sobre todo esta noche de piratas — será difícil encontrar en Guayaquil un objeto de esta clase.

(*Entra* RENARD *por la izquierda, segundo término.*)

RENARD. — ¿Hasta cuándo espero? ¿Es que vamos a quedarnos aquí hasta que amanezca?

JUAN. — Su esposa no me ha llamado todavía.

1. madero *piece of timber, plank.* 2. resorte *spring.*
3. forzar *to force open.*

RENARD. — ¡ Qué mujeres ! Seguramente ha de seguir llorando ante el cadáver de su madre. Iré a buscarla.

(RENARD *sale por la izquierda primer término.*)

JULIETA. — Francamente no comprendo muy bien lo que pasa. ¿ Por qué tiene tanta ansiedad de que nos vayamos tan
5　pronto ?

JUAN. — Ya lo comprenderá más tarde.

PÉREZ. — No olvide la barra que me prometió.

JUAN. — Estoy tratando de recordar el sitio donde la puse.

(TERESA, HERMENEGILDA *y* RENARD *entran por la izquierda
primer término.* HERMENEGILDA *trae unas mantas.*)

RENARD. — Por fin estamos listos. ¡ Vámonos ! ¡ Vámonos !

10 JUAN. — ¿ No nos quedamos a ver colgar al pirata ? Dentro de diez minutos será la medianoche.

HERME. — Sí. Yo no quisiera perderme ese gusto.

PÉREZ. — Estaba pensando que con un poquito de tortura podría persuadirlo a que nos diga algo más acerca de lo que
15　pensaba hacer con tantos túneles bajo la tierra, en esta casa.

RENARD. — Lo que piense hacer con él, ya es asunto suyo, capitán. Pero no es necesario que nosotros esperemos ¿ verdad ?

(*El capitán* PÉREZ *sale por la derecha primer término.*)

20 JULIETA. — Si el pirata sabe algo acerca de esta casa, me gustaría oír lo que él dice.

RENARD. — No podemos perder más tiempo. Cuando regresemos el capitán nos dirá todo lo que haya descubierto.

TERESA. — El podría olvidarlo. A mí también me gustaría
25　quedarme. Ya que mamá nos dejó esta casa, sería muy interesante conocer su historia, si el pirata sabe algo. Por otra parte, no nos quitará mucho tiempo.

(*Entran* BOB *y* PÉREZ *por la derecha primer término.* PÉREZ
amenaza a BOB *con la pistola.*)

BOB. (*Sonriendo*) — Bien, tío. ¿ Por qué puerta salió corriendo ?

RENARD. — ¿ Es usted el que lo pregunta ?

30 BOB. — ¿ Por qué no ? ¿ Es acaso un secreto lo que le pasó en la cabeza ?

JULIETA. — El dijo que usted lo golpeó.

BOB. *(Mirándose las manos)* — No sabía que tuviese yo unas manos tan pesadas.

RENARD. — Usted sabe muy bien que me golpeó en el corredor, con un vaso de flores. 5

BOB. — ¡ Ah ! ¿ Fué con un vaso ? ¿ De metal o de loza ?[1]

RENARD. — ¿ Usted cree que va a ganar tiempo haciendo preguntas idiotas ? ¡ Miserable !

BOB. — Cálmese, querido tío. Lo único que estoy haciendo es tratar de descubrir los detalles del nuevo crimen que su- 10 pongo he cometido.

JULIETA. — ¿ Insistes en que no golpeaste a mi tío, cuando él te llevaba al cuarto ?

BOB. — ¿ Por qué insistir, si todos me creen culpable ? Pero antes de morir quisiera pedirle un favor a Hermene- 15 gilda.

HERME. — Si ésa es su última voluntad, no me opongo. Sobre todo teniendo en cuenta que usted es ya casi un fantasma. ¿ Qué es lo que quiere ?

1. loza *crockery.*

BOB. — Si usted me lo consigue, yo le prometo no venir a molestarla después de morir. Se trata de esto: ya que usted tiene tantos conocidos entre los fantasmas ¿ por qué no me presenta al que me está jugando tantas malas pasa-
5 das?[1]

PÉREZ. — Es la última vez que usted se burla de la justicia, señor pirata. Le he concedido unos minutos más de vida sólo para darle la oportunidad de explicar el misterio de todos los túneles secretos y especialmente de la puerta de
10 hierro del corredor.

BOB. — ¡ Puertas y túneles ! ¡ Es verdad que es una casa fantástica ! Si yo no lo hubiera visto con mis propios ojos, jamás lo hubiera creído.

PÉREZ. — ¿ Cuándo oyó hablar de ella por primera vez?

15 BOB. — Cuando fué a verme el abuelo a Boston.

PÉREZ. — Si va a continuar con mentiras, tendremos que someterlo a tortura antes de ahorcarlo.

BOB. — Con tortura o sin ella no podré decirles nada.

PÉREZ. — ¿ Quién construyó esta casa?

20 BOB. — De esta casa sé yo menos que usted, capitán.

PÉREZ. — Entonces ¿ por qué la escogió como cuartel general? Usted no puede negarlo porque nosotros encontramos un mapa en el cadáver de uno de sus hombres. Tenía esta casa marcada y ¿ quién podía hacerlo sino usted?

25 BOB. — Tiene usted razón. ¿ Quién sino yo?

RENARD. (*Mirando el reloj*) — ¿ No puede ver que todo es inútil, capitán? Voy a buscar algunas provisiones para el viaje de las señoras. No van a llegar a tiempo de desayu-narse en nuestra casa de campo.

30 TERESA. — Un poco de pan y unas botellas de vino serán bastantes, Renard. Deja que Hermenegilda vaya por ellas.

HERME. — ¿ Yo? ¿ Yo solita?

RENARD. — ¿ Lo ves? Lo haré yo mismo. Por lo menos uno
35 hay en esta casa que trata de hacer algo.

(*Sale* RENARD *por la izquierda primer término.*)

1. pasada *trick.*

PÉREZ. — Le daré a usted la última oportunidad. ¿ Insiste usted en su silencio?

BOB. — ¿ Insiste usted en sus sospechas?

PÉREZ. — Eso me parece demasiado.

BOB. — A mí también. Esto me parece demasiado.

PÉREZ. — ¿ Es que usted no le tiene miedo a la tortura?

BOB. — Yo, no ¿ y usted?

JULIETA. — Por favor, Bob. ¿ No te das cuenta de que éste es un asunto muy serio? Déjate de bromas y aprovecha el tiempo. (*Mirando el reloj*) Faltan dos minutos para la medianoche.

BOB. — Es verdad. Faltan dos minutos.

JULIETA. — Entonces, úsalos. Di algo. ¿ Es que no hay nada que puedas hacer para probar tu inocencia?

BOB. — Sí. Estaba pensando, cuando me hallaba solo en la habitación. Si el capitán quisiera concederme un momento. Yo creo . . .

PÉREZ. — No pierda el tiempo con él, señorita Julieta. ¿ No se da cuenta de que este hombre es un cínico, y lo único que hace es burlarse de usted y de todos nosotros?

BOB. — Capitán, hay una acusación contra mí que es absolutamente falsa. Puede ser que yo sea el pirata. Sin mis papeles es inútil que intente probar lo contrario. Puede ser que yo me haya robado el cáliz. No sé la forma de convencerlos a ustedes de que alguien lo puso en mi maleta. Tampoco puedo probar que no herí a mi tío con el vaso. Pero hay una cosa que es imposible que yo pueda haber hecho. Déme un momento para demostrarlo y quizá entonces usted dudará de las otras acusaciones.

(ANACLETO *entra por la trampa, temblando.*)

ANAC. — ¡ Socorro ! ¡ Socorro ! (*Se cuadra ante el capitán.*) ¡ Piratas, mi capitán ! ¡ Piratas por todas partes ! ¡ Piratas fantasmas que entran y salen atravesando las paredes, apareciendo y desapareciendo ! ¡ Ellos me mataron ! ¡ Me mataron ! (*Cae.*)

PÉREZ. (*Dando su pistola a* JUAN) — Cuide al prisionero. (*Corre hacia la trampa y mira por todos lados.*)

BOB. — Este es un crimen del cual no me pueden acusar.

PÉREZ.   (*Regresando*) — No se ve absolutamente a nadie. Pero si ellos entran, no podrán salir. Mis soldados tienen rodeada esta casa.

JULIETA. — ¿ Quiere usted una vela, capitán ?

PÉREZ. — Primero veamos qué tiene Anacleto.

JULIETA. — ¿ Dónde lo han herido ?

HERME.   (*Tocando el cuerpo de* ANACLETO) — No veo ni una gota de sangre.

PÉREZ. — Anacleto, ¡ Anacleto ! (*Sacude al soldado que no da muestra de recuperar su conocimiento. Entonces le habla en voz de mando.*) ¡ Soldado Anacleto ! ¡ Atención . . . firme !

ANAC.   (*Como movido por un resorte da un salto y se cuadra militarmente.*) — ¡ A sus órdenes, mi capitán ! (*Sus rodillas vacilan y cae otra vez.*)

PÉREZ. — Veo que este valiente soldado no tiene nada. ¿ Qué ocurrió, Anacleto? Dime la verdad, sin ninguna exageración.

ANAC. (*Levantándose lentamente*) — Lo que vi fué un pirata enorme, con máscara y un enorme sombrero hasta los ojos, envuelto en una capa, con una larga espada y una tremenda pistola. Antes de que yo pudiera hacer nada, se lanzó contra mí y con su espada me atravezó de parte a parte, aquí. (*Trata de encontrar la herida en su cuerpo.*)

PÉREZ. — Te dije: sin exageración, Anacleto. No te han hecho el más leve daño.

ANAC. — ¿ Es verdad eso? (*Se pone en pie de un salto, tocándose todo el cuerpo.*) ¡ Qué feliz me siento !

PÉREZ. — ¿ Hay alguna parte de tu historia que es verdad, Anacleto?

ANAC. — Por supuesto que sí. Lo vi a él y vino hacia mí con su larga espada. Quizá no tuvo tiempo de usarla, porque me di a mí mismo la orden de retirarme y salí corriendo hasta aquí. Justamente cuando llegaba a la puerta de la trampa, vi al pirata desaparecer por las paredes.

PÉREZ. — ¿ No sería por la puerta de hierro?

ANAC. — No sé por dónde desapareció, pero yo no vi que se abriera nada. Pareció que se lo tragaron las sombras.

(*El reloj da las doce.*)

TODOS. (*Casi a coro* [1]) — ¡ Las doce ! ¡ La medianoche !

PÉREZ. (*Después de una breve pausa, dirigiéndose a* BOB *y poniéndole la mano sobre el hombro*) — Bueno, ahora sí, pajarito. Vamos a emprender el último vuelo.

BOB. — No me va a decir que usted también sabe volar, capitán Pérez. Yo pensé que los elefantes siempre andaban por el suelo.

JULIETA. — ¿ Es posible que hasta en este último momento continúes haciendo bromas?

BOB. — Querida prima, créeme que lo siento mucho, si esto no te gusta. Pero no quiero que mis últimos momentos sean tristes. Si hasta me gustaría que hubiese un poquito de música para que bailáramos antes de mi salida.

1. a coro *in chorus.*

PÉREZ. — Bastante va a bailar en el aire colgado de una cuerda. (*Pausa*) Con todo debo confesar que nunca conocí a un pirata como usted. Los que hemos capturado antes eran brutales. Usted es un pagano que ha asesinado a una inocente anciana, robado la catedral, y hecho quién sabe cuántos horrores. Sin embargo, usted me ha caído en gracia. Me da lástima que sea el capitán de los piratas.

BOB. — La lástima es que no pueda convencerlo de que no lo soy.

PÉREZ. — Bien. Usted no puede y en cambio yo debo cumplir mi obligación. Vamos.

JUAN. (*Dando un paso hacia adelante*) — Un momento, capitán Pérez.

PÉREZ. — ¿ Para qué? ¿ Más tardanzas?

JUAN. — Hay algo muy importante que tengo que comunicarles.

PÉREZ. — ¿ Es que todos se han puesto de acuerdo para hacerme perder el tiempo? Esta vez tendrá usted que esperar. Yo prometí ahorcar al pirata a la medianoche.

BOB. — Por eso no lo haga. ¡ No tenga cuidado, capitán ! No tiene que cumplir con su promesa. Puede ahorcarme más tarde, si le conviene.

PÉREZ. — No esperaré un minuto más. La única tardanza que podría admitir sería si usted pudiera explicarme algo sobre los crímenes de esta noche.

JUAN. — Por lo mismo, debe escucharme. Eso es exactamente lo que yo quiero hacer: explicar algo sobre los crímenes de esta noche.

PÉREZ. — ¿ Usted? ¿ Sabe usted algo acerca de ellos?

JUAN. (*Muy serio*) — Hace exactamente dos años y tres días, mientras realizaba su viaje a Cádiz, el barco de don Arístides Seminario fué capturado y quemado por los piratas. Todos murieron a bordo, menos yo.

TERESA. — ¿ Usted?

HERME. — ¿ Usted?

JUAN. — Tal como lo oyen. Sin embargo antes de morir, el

capitán Seminario me expresó sus últimos deseos. Estábamos juntos, en el agua, flotando sobre un débil madero. «Amigo — me dijo — yo no estaré en Guayaquil para celebrar mis bodas de oro. Si usted está, llame a todos mis parientes, incluyendo a los de los Estados Unidos, y reúnalos en la sala de mi casa. Ya que no puedo estar yo, mi retrato los estará mirando. Entonces léales el documento que encontrará en el pilar de la extrema derecha del altar de nuestra capilla . . . »

BOB. — ¿ Realmente ocurrió todo como usted lo está contando ?

PÉREZ. — Si esto es verdad, aunque a mí no me lo parece, ¿ por qué esperó usted hasta ahora para decírnoslo ?

JUAN. — Porque el capitán Seminario me hizo prometer no hacer nada hasta el día de su aniversario. Yo no sabía si debía reunirlos para la tarde, cuando tuvo lugar la boda. En todo caso, para no equivocarme los llamé al comenzar el día y envié las cartas a toda la familia.

BOB. — Esto me parece un melodrama. Ningún editor querría aceptarlo. Me he convencido de que a veces la realidad es más melodramática que el mismo melodrama.

JULIETA. — ¿ Y encontró ese documento ?

JUAN. — Sí. Aquí está. (*Abre el papel y les lee en voz alta.*) « Si se lee ésta mi última voluntad y testamento es porque yo, Arístides Seminario, he entregado mi alma al Creador antes de haber podido celebrar las bodas de oro de mi matrimonio . . . »

TERESA. — No debe seguir leyendo hasta que llame a Pierre.

JUAN. — El no está incluído. El es parte de la familia sólo por matrimonio. Continúo: « . . . Por lo feliz que he sido con mi esposa y por el cariño que les tengo a mis descendientes, quiero darles mi tesoro, el cual está escondido en . . . »

HERME. (*Interrumpiéndolo*) — ¿ No se lo dije a ustedes ? Por eso tenemos los fantasmas en esta casa. Hay un tesoro escondido.

TERESA. — Cállate. No interrumpas. Continúe, Juan.

JUAN. — « . . . tesoro, el cual está escondido encima de Santa Ana, de acuerdo con el mapa que encontrarán ustedes en el mismo pilar » . . . Aquí está. (*Lo muestra a ellos.*) « Quiero que toda mi fortuna sea dividida en cuatro partes iguales,

5 una para mi esposa, otra para mi hija y otra para mi nieta. La mitad de la última parte será para cualquier representante de mi familia de los Estados Unidos que esté presente y la otra para mi piloto [1] Rodrigo, quien a su vez dará algo a los criados de la casa. Espero que esta gran

10 fortuna pueda servir para hacer felices a todos y que por eso rueguen por el alma del capitán Arístides Seminario. »

PÉREZ. — ¿ Qué tiene que ver todo esto con mi pirata prisionero?

15 JUAN. — A eso voy precisamente. El barco pirata nos atacó cerca de las costas del Perú. Cuando yo trataba de llevar el cuerpo del capitán Seminario hacia la orilla, perdí el sentido. Desperté en un hospital. Cuando pude salir, regresé a Guayaquil, cambiado por mis heridas, pero re-

20 suelto a cumplir los últimos deseos de mi capitán. El me había indicado el modo de enviar algún dinero a los Estados Unidos para que pudiese venir un representante de esa rama de la familia. Yo sabía que el viaje quitaría mucho tiempo y . . .

25 PÉREZ. — Lo que yo sospechaba. Usted está tratando de ganar tiempo para evitar la acción de la justicia. Vamos, señor pirata.

BOB. — Pero este cuento es muy interesante, capitán. Usted no debe colgarme sin que yo escuche el final.

30 JUAN. — Tenga paciencia, capitán. Ya no falta mucho.

JULIETA. — Por favor, capitán. Déjele este último placer al prisionero. Que oiga hasta el final este cuento tan interesante.

PÉREZ. — Está bien. (*A* JUAN) Sea breve, pues.

35 JUAN. — Estaba tan cambiado por el fuego en el barco que nadie me reconoció en Guayaquil. Supe que la señorita

1. piloto *chief officer.*

Teresa se había casado y que su marido era respetado y un hombre de influencia. El me ofreció trabajo y muy pronto fuí su hombre de confianza . . .

PÉREZ. — ¿ Por qué no acorta su largo cuento? Ya que usted estuvo a bordo del barco cuando lo atacaron los piratas, 5 debe estar seguro de la identidad del prisionero ¿ verdad? ¿ Era él el capitán de los piratas?

JUAN. — No. Estoy seguro que él no estaba entre los piratas.

PÉREZ. — Si usted está tan seguro ¿ por qué no nos da al- 10 gunos detalles que puedan ayudarnos a descubrir al capitán de ellos?

JUAN. — Puedo hacer algo mejor que eso. Puedo decirle a usted quién es y además darle pruebas. El capitán de los piratas es . . . 15

(*Suena un tiro de pistola.* JUAN *cae.* BOB *se lanza contra el capitán. Coge la pistola de su mano y tira contra el retrato del capitán Seminario. La tela del retrato se rompe y se ve una especie de cuarto secreto que está detrás del cuadro. Se ve en el suelo el cuerpo de un hombre con máscara y con ropas de pirata. Al lado de él se ven muchas ropas, joyas, pistolas, etc.*)

JUAN. (*Levantándose lentamente*) — Allí tiene su capitán de piratas.

HERME. — ¡ El pirata fantasma !

TERESA. — ¡ Dios nos ayude ! ¡ Más muertos !

JULIETA. — Juan . . . digo, Rodrigo, usted está herido. 20

JUAN. — No es nada serio. A través de los ojos del retrato no me podía ver muy bien.

BOB. — Miren. Allí está mi pistola en la mano del hombre muerto. Ojalá estén allí también mis documentos. Así podré probar quien soy. 25

PÉREZ. — Necesitamos algo más que papeles para probar su inocencia. Si usted no fuera uno de los piratas ¿ cómo supo que él estaba detrás del retrato?

BOB. — Eso es lo que estaba tratando de decirle hace un rato, capitán. ¿ Se fijó en el ángulo que formó la línea de la bala 30 que mató a la señora de Seminario?

PÉREZ. — ¿ Qué me quiere decir con eso ?

BOB. — Cuando me hallé solo en el cuarto estuve pensando en este asunto. La bala tocó la pared muy bajo, cerca del suelo. Ya estudié el cuarto y descubrí el sitio desde donde
5   hicieron fuego . . . Además, mientras Juan hablaba del último viaje del capitán Seminario, vi moverse la tela varias veces, lo que probó mis sospechas.

HERME. — Muchas veces escuché ruidos detrás del cuadro, pero creía que eran los fantasmas.

10 PÉREZ. — Bien. Acepto que usted no haya matado a la abuela, pero usted no ha probado todavía que no sea uno de los piratas . . .

JUAN. — Estoy seguro que usted encontrará las pruebas allí. (*Señala el retrato.*) Todos los túneles secretos llevaban al
15   pirata a cualquier parte de la casa que él quisiera. Seguramente fué él mismo quien se robó los documentos del señor Taylor y puso en la maleta el cáliz que se robaron los piratas la otra vez que atacaron a Guayaquil. Allí están algunas de las ropas que usaba para disfrazarse. Y usted
20   probablemente hasta encontrará entre ellas parte de los tesoros robados.

PÉREZ. — Pero si usted sabía tantas cosas ¿ por qué no lo dijo a las autoridades ?

JUAN. — Primero, porque quería seguir las órdenes de mi
25   capitán Seminario al pie de la letra y segundo porque nadie me habría creído. Yo necesitaba pruebas contra el pirata y él era el único que podía procurármelas. En la ciudad era un hombre de influencia que todos consideraban honrado.

30 PÉREZ. — Pero ¿ quién es él ? ¿ Cuál es su nombre ?

JUAN. (*Señalando al pirata*) — Quítele la máscara. Todos ustedes lo conocen.

(PÉREZ *le quita la máscara.*)

TODOS. — ¡ Renard !

JULIETA. — ¡ Qué horror !

35 TERESA. — ¡ Mi marido ! ¡ Ay ! ¡ Qué cosa tan bárbara ! Ahora veo por qué siempre estaba de viaje.

JULIETA. — Estoy segura de que la abuela sospechaba de él. Posiblemente por eso fué que él la mató antes de que pudiese decir nada.

TERESA. — Yo creo que ella le habló. Ella siempre dijo que no se había casado conmigo por razones dignas. Ahora sé también por qué él siempre estaba tocando las paredes y los muebles. Seguramente estaba tratando de encontrar el secreto del tesoro escondido.

JULIETA. — Pero ¿ por qué tendría tanta ansiedad de sacarnos de la casa antes de la medianoche?

JUAN. — Creo que yo lo sé. Encontraría una de las cartas que yo escribí, quizá la que dejé sobre la cama de doña Teresa. Puede ser que tuviese miedo de que él y sus bandidos no hubieran matado al capitán Seminario. Tal vez esperaba que mi capitán regresara esta noche. En este caso, quería estar solo con él para descubrir el secreto del tesoro. Esto es lo que yo creo. Lástima que no podamos oír las verdaderas razones de labios del señor Renard. El está muerto y nosotros tenemos que evitar que el escándalo envuelva a la familia. Después de todo, él también formaba parte de ella y si la gente se entera . . .

PÉREZ. (*Mirando a* JULIETA) — También he estado pensando en ello. Pero tendremos que dar una explicación de su muerte.

JUAN. — ¿ Puedo sugerir algo a este respeto? Todo el mundo sabía que él estaba de viaje. Yo fuí a esperarlo y lo vi venir en una pequeña canoa. El me dijo que el capitán del barco no había querido llegar a Guayaquil a causa de los piratas. Yo nunca le dejé sospechar que sabía quien era. Entramos juntos en esta casa por la puerta secreta, de manera que nadie nos vió. Por eso creo que podemos decir que tenía tanta ansiedad de ver a su familia que llegó hacia acá en una canoa, pero que en el camino los piratas lo mataron. Ese golpe que le dió en la cabeza el señor Taylor, hará que la explicación parezca más verdadera.

BOB. — Jamás le di ningún golpe. Seguramente se golpeó él mismo para molestarme más.

JULIETA. — El no lo habrá hecho. Le salía demasiada sangre . . .

PÉREZ. — Siempre sale mucha sangre de las heridas en la
cabeza, señorita. Me alegra que el cuento de Juan lo
5 explique todo. Y les doy a ustedes mi palabra de honor
de no revelar los verdaderos detalles mientras viva.

JULIETA. — Siempre dije que usted era un valiente soldado y
un perfecto caballero.

PÉREZ. — Y a usted, señor Taylor, le ruego perdonarme las
10 sospechas.

BOB. — Usted está perdonado, capitán. Aun en los momentos en que estaba seguro de que yo era un villano y un
pirata miserable, siempre fué lo que mi prima acaba de
decir.

15 JULIETA. — Siento mucho las angustias que has de haber
pasado, Bob. Debe ser horrible eso de ser acusado de
ladrón y asesino, y no saber nada del asunto.

BOB. — Todo ello y muchas cosas peores serían poco por el
placer de haber conocido a una prima tan buena y bella
20 como tú.

TERESA. — Como cabeza de la familia, debo recordar a
ustedes que hay muchas cosas que deben hacerse. Después de todo, aunque pirata, Pierre era mi esposo y si
nosotros vamos a mantener el secreto ante todo el mundo,
25 tenemos que darle un entierro digno de nuestro nombre.
¿Quién va a ir a arreglarlo? ¿Quién avisará al público?
Juan no puede hacerlo, por tener un brazo herido.

(*Todos, sin decir una palabra, miran a* HERMENEGILDA.)

HERME. — Sí. Ya sé. ¿Quién tiene que andar por las calles
obscuras en una ciudad llena de piratas, muertos, y fan-
30 tasmas? ¿Quién, sino yo? Yo soy la víctima. Todos
abusan de mí porque soy la más tonta.

(TELON)

EXERCISES

EXERCISES

The exercises are divided into twelve sections, two to each act of the two plays. Grammar reviews, drills on idioms, cognates, and other special topics are distributed as follows:

1. Ser and estar; Idioms
2. Prepositions; Idioms
3. Articles; Cognates
4. Object pronouns; Cognates; Prepositions
5. Possessive adjectives and pronouns; Subjunctive in commands; Difficult couplets: saber–conocer, pensar–creer
6. Demonstratives; Couplets: por–para, pedir–preguntar
7. Time clauses; Subjunctive after words of doubting; Idioms; Cognates
8. Interrogatives; Future of probability; Cognates
9. Uses and omission of articles; Subjunctive with indefinite future time
10. Conditional sentences; Prepositions
11. Subjunctive in adjective clauses; Cognates
12. Subjunctives with impersonal verbs; Idioms

1. *Sangre azul*

(Act I, pages 2–10)

I. *Answer in complete sentences in Spanish:*

1. ¿Dónde tiene lugar la acción de esta comedia? 2. ¿Por qué ha ido Jim a Guayaquil? 3. ¿Quién es Uvalinda? 4. ¿Por qué no dice nada Torcuato? 5. ¿Qué ha traído el indio? 6. ¿Por qué ha acompañado Ruth a su hermano? 7. ¿Cómo viajaron ellos al Ecuador? 8. ¿Conoció Jim a alguna ecuatoriana antes de venir al Ecuador? 9. ¿Por qué abrió Ruth la tela metálica de la ventana? 10. ¿Por qué tenía miedo su madre? 11. ¿Para qué usa ella la bomba de flit? 12. ¿Qué clase de agua quería usar en Guayaquil? 13. ¿Dónde se encuentran cocodrilos en la ciudad de Guayaquil? 14. Según Mrs. Adams ¿qué opinión tienen los latinos de la hora?

145

15. ¿Cómo sabemos que Carlos es muy práctico? 16. ¿Quiénes visitan la habitación de Mrs. Adams? 17. ¿Cuándo ha visto Ruth a Carlos antes? 18. ¿Por qué no está Ruth cuando llega la señorita de la Vega? 19. ¿En qué parte del Ecuador va a trabajar Jim? 20. ¿Qué le sugiere Victoria a Mrs. Adams?

II. Grammar. *Review in your grammar the uses of* ser *and* estar *and fill in the following blanks with the proper form. Check for accuracy with the text.*

1. Torcuato —— sordomudo. 2. Mrs. Adams —— ansiosa de recibir la maleta. 3. —— que trae mucha medicina en la maleta. 4. Las luces del río Guayas —— hermosas. 5. Tú —— una sonámbula. 6. ¡ Esta noche —— tan hermosa, mamá ! 7. El agua mineral no —— bien. 8. Guayaquil —— una ciudad moderna. 9. Los de la Vega —— tardando demasiado. 10. Este —— tu único traje de etiqueta. 11. ¿Cómo —— usted, señorita de la Vega? 12. Aquí nosotros —— contentos. 13. Ahora nadie —— más que nadie. 14. En Guayaquil todo —— revuelto. 15. Los primeros revolucionarios —— los nobles.

III. Idioms. *Use the following idioms in original sentences:*

dar a; al levantarse; por la derecha; dejar caer; volver a + infinitive; en pie; tener que; me parece; lo raro; lo mismo; lo más rápidamente posible; hacer calor; pensar en; puesto que; he de + infinitive.

IV. *Translate into Spanish the following sentences:*

1. The doorbell is heard. 2. He brings a satchel and gives it to Uvalinda. 3. Here it is, Miss Ruth. 4. One doesn't travel by aeroplane. 5. You must boil the water twenty minutes. 6. As far as I'm concerned, you must be right. 7. She fills her head with romantic ideas. 8. What am I going to do with my dress? 9. We have traveled along the whole coast. 10. With your permission, I shall leave.

V. *Topics for discussion.*

1. Las ideas que tengo del Ecuador y sus habitantes
2. Por qué es peligroso beber agua en algunos países
3. Los peligros de los trópicos
4. Los peligros de mi ciudad
5. Una tragedia que me pasó a mí una vez
6. El valor de la ciencia moderna

2. *Sangre azul*

(Act I, pages 10–19)

I. *Answer in complete sentences in Spanish:*

1. Según Victoria ¿ qué creen los gringos que llegan a Sud América?
2. ¿ Cuál es la mancha negra de los de la Vega? 3. Según Lola ¿ qué
son los gringos? 4. ¿ Por qué tardó Ruth tanto tiempo? 5. ¿ Por qué
no quería Jim perder tiempo aquella noche? 6. ¿ Por qué estaba
enojada doña Victoria? 7. ¿ En qué estación del año habían llegado
los Adams a Guayaquil? 8. ¿ Qué quería preguntar Mrs. Adams a
doña Victoria? 9. ¿ Cómo va a escandalizar aquélla a la tía Victoria?
10. ¿ Qué está preparando Carlos para Ruth? 11. ¿ Dónde se cono-
cieron Jim y Lola? 12. ¿ Qué propuso hacer Jim? 13. ¿ Cómo
logró sus deseos? 14. ¿ Cuál es su profesión? 15. Según Jim ¿ qué
es el amor a la norteamericana? 16. ¿ Por qué estaba enojada doña
Victoria al volver a la sala? 17. ¿ Por qué creía que Jim había insultado a la familia? 18. ¿ Qué le parece a Mrs. Adams un beso?
19. ¿ Qué mandó Victoria a Lola? 20. ¿ Aceptó Jim la decisión de
Victoria? 21. ¿ Quiénes entraron en ese momento? 22. ¿ Por qué
no creyó Carlos lo que dijo su tía? 23. ¿ Cómo criticó él la opinión de
doña Victoria? 24. ¿ Qué le prometió Carlos a Jim? 25. ¿ Por qué
creía Jim que todo se había acabado?

II. Prepositions. *Fill the following blanks with the proper prepositions and
consult the text to check for correctness:*

1. ¿ Qué van —— pensar los Adams? 2. —— cuanto —— sangre,
la nuestra es pura. 3. El pirata tuvo amores —— nuestra tatarabuela.
4. Insisto —— que eres como eres. 5. —— mí, son un par de gringos.
6. Ya es tiempo —— que vuelvan. 7. No debe criticarla —— eso.
8. Trata —— secar su traje. 9. Estamos muy contentos —— ella.
10. Estoy —— acuerdo —— usted. 11. —— ella, no existe otro país
que el Ecuador. 12. Esta es Ruth, —— quien he hablado tanto.
13. No tenemos tiempo —— fijarnos —— la temperatura. 14. Estoy
pensando —— nuestra noche —— Londres. 15. Es mi castigo ——
haber consentido esta amistad. 16. ¿ Es posible besar —— una mujer
—— su voluntad? 17. Ella sólo puede ser besada —— su esposo.
18. El ha hecho algo —— quererlo. 19. Trataré —— arreglar el
asunto mañana. 20. —— mí, no hay mañana.

III. Idioms. *Use the following idioms in original sentences:*

dar cuenta; tratar con; en cuanto a; por todas partes; en cambio;
tener la culpa; por otra parte; estar de acuerdo; esta vez; por favor;
saber bien; tener trato con; tratar de; tener razón.

IV. *Translate into Spanish:*

1. What will Jim think of us? 2. He told me against the family's
wishes. 3. He wasn't trying to displease his aunt. 4. I'm very glad
to know you, Miss Victoria. 5. Do these shoes offer protection against
snakes? 6. I think so, but we can buy others tomorrow. 7. Carlos
has a surprise prepared for Ruth. 8. He does nothing all day but
think of her. 9. Of course I couldn't forget our party in London.
10. Jim has insulted the honor of the de la Vega family.

V. *Temas para discutir.*

1. ¿ Es posible tener sangre pura?
2. Las diferencias en las costumbres de Norte América y Sud
   América
3. Cómo se puede pasar un rato agradable en la ciudad
4. ¿ Es justo que una muchacha haga que su visita la espere?

3. *Sangre azul*

(Act II, pages 20–29)

I. *Answer in complete sentences in Spanish:*

1. ¿ Dónde tiene lugar el segundo acto? 2. ¿ Cómo han llegado allá
los norteamericanos? 3. ¿ Por qué teme Mrs. Adams a los cocodrilos
del Ecuador y no a los de la Florida? 4. ¿ Qué opinión tiene Jim de la
tierra ecuatoriana? 5. ¿ Qué opinión tiene Mrs. Adams de Carlos?
6. ¿ Por qué está triste Ruth? 7. ¿ A quiénes pertenece la hacienda
donde está Jim? 8. ¿ Qué ha olvidado decir Carlos a Jim? 9. ¿ Qué
sorpresa ha preparado Carlos? 10. ¿ Qué es un pasillo? 11. ¿ Qué
preparan ellos para la noche? 12. ¿ Por qué tiene miedo Mrs. Adams?
13. ¿ Qué tocan los músicos? 14. ¿ Dónde prefiere estar Mrs. Adams?
15. ¿ Qué es necesario hacer? 16. ¿ Por qué son los hombres tan
buenos amigos? 17. ¿ Qué es lo único malo? 18. ¿ Cuánto tiempo
va a quedarse Ruth en el Ecuador? 19. ¿ Cuándo va a volver Jim a
los EE.UU.? 20. ¿ Por qué no cree Carlos que Lola pueda vivir en
Norte América?

II. Grammar. *Review articles, especially the neuter* lo. *Fill in the proper form of the article, when necessary, in each of the following sentences:*

1. *See what a country this is!* ¡ Miren qué —— tierra ! 2. *He pointed to the farmhouse door.* Señaló —— puerta de —— casa de —— hacienda. 3. *I am the one who works.* Soy —— que trabaja. 4. *Speaking about a bath, there is the river!* A própósito de —— baño, allí está —— río. 5. *The thing I need is to work.* —— que necesito es trabajar. 6. *We'll use the whole time.* Utilizaremos —— todo —— tiempo. 7. *Romanticism will come to an end.* —— romanticismo se va a acabar. 8. *She must forget last night's affair.* Tiene que olvidar —— de anoche. 9. *You will find a snake in bed.* Encontrará —— víbora en —— cama. 10. *This is the only thing that will console me.* Esto es —— único que me consolará. 11. *Good morning! The same to you.* ¡ Buenos días ! —— mismo a ti. 12. *The best thing is for them to decide.* —— mejor es que ellas decidan.

III. Cognates. *What English word does each of the following suggest?*

exterior; decoración; balcón; tropical; escena; guitarrista; equipo; equipaje; pantalón; lancha; sorpresa; agente; pena; parte; producción; patrón; mérito; gasolina; insisto; música.

IV. *Translate into Spanish:*

1. Mrs. Adams wears a leather coat and high boots. 2. Did you say that there are no longer any crocodiles here? 3. I am glad that you are happy. 4. Lola is a fine woman. 5. He left Guayaquil this morning. 6. I am the one who works these fields. 7. This is no place for women or children. 8. What is that; and where is it? 9. The laborers are playing waltzes. 10. You will never become accustomed to the tropics.

V. *Temas para discutir.*

1. Por qué es más romántico un lugar lejano
2. ¿ Es posible conseguir todo lo que se quiere?
3. La diferencia entre la música norteamericana y sudamericana
4. Lo que significa la industrialización
5. El miedo de Mrs. Adams

4. *Sangre azul*

(Act II, pages 30–40)

I. *Answer in complete sentences in Spanish:*

1. ¿ Por qué busca Torcuato a Uvalinda ? 2. ¿ Por qué la llama Mrs.

Adams. 3. ¿Para qué manda una botella de citronela a Jim? 4. ¿Qué ruido oyen? 5. ¿Qué anuncia Lola? 6. Según Mrs. Adams ¿por qué viene el avión? 7. ¿A cuánta distancia está el pueblo más cercano? 8. ¿Por qué está segura Lola que el pasajero no es su tía Victoria? 9. ¿Cuándo descubre su identidad? 10. ¿Por qué hace Lola todo lo que desea su tía? 11. ¿Por qué no debe quedarse Jim cuando viene la tía? 12. ¿Qué explicación da Uvalinda de la condición de Torcuato? 13. ¿Qué pregunta Victoria al llegar? 14. ¿Por qué busca a Lola? 15. ¿Por qué le llama a Jim « enemigo de las mujeres »? 16. ¿Qué solución propone Carlos? 17. ¿Cómo los ayuda? 18. ¿Cómo baja Lola del balcón? 19. ¿Cómo insulta Mrs. Adams a Victoria? 20. ¿Qué recuerdo trae Torcuato para Mrs. Adams?

II. Grammar. *Review pronoun objects of verbs and their positions. Put the correct pronoun in the proper blank, disregarding the wrong blank. Remember that the second person singular of the imperative (whose object follows) is often identical with the third person singular of the present indicative.*

1. *The Adamses look out on the balcony.* Los Adams —— asoman —— al balcón. 2. *The mailman brings them the mail.* El cartero —— trae —— la correspondencia. 3. *He wants to save us.* El —— quiere —— salvar. 4. *When are you going to tell me?* ¿Cuándo vas —— a decir ——? 5. *Let's get out of here!* ¡ —— retiremo(s) ——! 6. *She isn't going to want to see you.* No ha de —— querer —— ver. 7. *Help us, Uvalinda!* ¡ —— ayuda ——, Uvalinda! 8. *Get away, Torcuato!* ¡ —— ve ——, Torcuato! 9. *Don't look at her now.* No —— mires —— ahora. 10. *I have never married.* Nunca —— he —— casado. 11. *Torcuato wants to give them (crocodiles) to you.* Torcuato quiere —— dar ——. 12. *Don't name them (my children) to me!* ¡No —— nombres ——!

III. Cognates. *What Spanish words, used in this lesson, are suggested by the following English words:* advance; sign; embrace; bottle; engineer; aviation; rare; hydroplane; correspondence; vaccination; viper; calm; contrary; prepare; absence; accustom; capacity; protection; vicinity; accept?

IV. *Translate into Spanish, being careful to use the correct preposition:*

1. I need him to carry the suitcases. 2. He talks with his hands and I reply in the same way. 3. I don't dare talk to her. 4. Everybody abuses the hospitality of my family. 5. That is a solution in Ecuador

style. 6. Blows are beginning to be heard at the door of the room. 7. Don't be afraid of the mosquitoes. 8. What is it all about? (*use* tratar) 9. Victoria comes through the door without seeing anybody. 10. At that moment, Jim's mother looks out on the balcony.

V. *Temas para discutir.*

1. Las cosas que se pueden decir con gestos
2. El miedo a las cosas modernas
3. Por qué Lola quiere seguir los deseos de su tía
4. El orgullo falso
5. Lo que hacen los novios cuando los padres se oponen

5. *Sangre azul*

(Act III, pages 41–49)

I. *Answer in complete sentences in Spanish:*

1. ¿Dónde tiene lugar el tercer acto? 2. ¿Cuánto tiempo ha pasado entre los dos actos? 3. ¿Dónde está Mrs. Adams? 4. ¿Por qué está Lola en el hospital? 5. Qué enseña Uvalinda a Torcuato? 6. ¿A dónde ha ido Jim? 7. ¿Qué deber ha hecho Uvalinda? 8. ¿Con qué resultado? 9. ¿Qué noticias quiere Lola que su tía sepa? 10. ¿Qué le ha pasado a la tía Victoria? 11. ¿Por qué no permitió ella que Lola la visitase? 12. ¿Qué tenía que hacer el portero todos los días? 13. ¿Por qué no quiere casarse Carlos? 14. ¿Qué ha hecho Uvalinda para conseguir un milagro? 15. ¿Quién va a ayudar a Lola? 16. ¿Qué teme Mrs. Adams? 17. ¿Por qué no acompaña Ruth a su madre cuando ésta visita a la nieta? 18. ¿Por qué está celosa Ruth? 19. ¿Qué le explica Carlos? 20. ¿Por qué no tiene Ruth mucha confianza en su complot?

II. Grammar.

A. *Review possessive adjectives and pronouns. Fill the blank with the correct form. Remember that sometimes an article replaces the possessive.*

1. *Her face expresses pain.* —— rostro expresa dolor. 2. *What do you have in your hands?* ¿Qué tienes en —— manos? 3. *Fulfil your obligation.* Cumpla con —— deber. 4. *She does not know about my child.* No sabe nada de —— nena. 5. *Torcuato opens his eyes.* Torcuato abre —— ojos. 6. *This is our secret and that is yours.* Este es —— secreto y aquél es ——. 7. *With your permission, I'll leave.* Salgo con el permiso

de ——. 8. *Her bed is beside mine.* —— cama está al lado de ——.
9. *I've been looking for you, my darling.* Te buscaba, querida ——.
10. *This land is yours (2nd singular).* Este país es ——.

B. Review the subjunctive after verbs of command and desire and fill the following blanks:

1. Le pido que Vd. (ir) —— a la casa de Victoria. 2. Te mando que (salir) —— de aquí. 3. Rogamos que nos (dejar) —— en paz. 4. ¡ Ojalá que me (traer) —— a la nena ! 5. Dije al portero que se lo (hacer) —— saber. 6. Pediste que (decir) —— una cosa. 7. Mrs. Adams rogó a Jim que no la (dejar) —— salir.

III. Confusing Couplets.

A. Distinguish between saber *and* conocer *in the following sentences:*

1. *I don't know when she is going to die.* No —— cuándo va a morir. 2. *She is coming to get acquainted with her grandchild.* Viene para —— a su nieta. 3. *Jim met Lola in London.* Jim —— a Lola en Londres. 4. *She knows nothing about the baby.* No —— nada de la nena. 5. *She doesn't know how to talk.* Ella no —— hablar. 6. *You don't know how anxiously we were waiting for you.* Vd. no —— con cuánta ansiedad la esperábamos. 7. *Do you know the farm where Jim is going?* ¿ —— Vd. la hacienda a donde va Jim?

B. Distinguish between pensar *and* creer *in the following sentences:*

1. Yo —— que este lugar es muy reservado. 2. ¡ Nunca —— tú que yo puedo guardar un secreto ! 3. Mrs. Adams —— llevar a la nena a los EE.UU. 4. No quiero —— que ella no desea vernos. 5. ¿ Qué —— Vd. de la situación actual?

IV. Idioms. *Use the following idioms in complete sentences:*

al levantarse; que sí; lo único malo; lo que yo pensaba; lo más
... posible; lo de todos los días; aquí dentro; me da pena; quiere decir; sin embargo; dejó de + infinitive.

V. *Translate into Spanish:*

1. Uvalinda can tell Torcuato by gestures that Mrs. Adams is arriving by airplane. 2. She is thinking of taking the baby back to the United States with her. 3. What do you think of that ! 4. The best part is that she will get acquainted with her granddaughter. 5. Hurry, Torcuato, and get out of here ! 6. I don't want to see you in this hospital. 7. With whom are you preparing a plot? 8. Vic-

toria doesn't know anything about it. 9. How goes it, Uvalinda? The same as always? 10. My dear Ruth, you are so lovely !

VI. *Para discutir.*

    1. El complot de Lola
    2. Las dificultades de Carlos y Ruth
    3. El lenguaje de manos
    4. Nenas en los trópicos

6. *Sangre azul*

(Act III, pages 49–58)

I. *Answer in complete sentences in Spanish:*

    1. ¿Qué hacen Carlos y Ruth cuando entra Victoria? 2. ¿Por qué no quiere ella oír explicaciones? 3. ¿Qué teme Victoria? 4. ¿Qué opinión tiene de la aliada de ellos? 5. Al principio ¿cómo recibe Victoria a Lola? 6. ¿Por qué cambia ella? 7. ¿Por qué está ella impaciente? 8. ¿Por qué menciona Mrs. Adams la higiene? 9. ¿Qué plan tiene Mrs. Adams para la nena? 10. ¿Por qué cree Victoria que la nena es una de la Vega? 11. ¿Cómo luchan las mujeres? 12. ¿Por qué está enojada Victoria con las palabras de Lola? 13. ¿Cómo pone Lola fin a la batalla entre las mujeres? 14. ¿Por qué cree Victoria que ella tiene la culpa? 15. ¿Qué pide Carlos? 16. ¿Qué pregunta Jim? 17. ¿Qué solución ofrece Mrs. Adams? 18. ¿Cómo la van a llamar a la nena? 19. ¿Por qué entran Uvalinda y Torcuato? 20. ¿A qué los invita Victoria al fin?

II. Grammar. *Review demonstratives and fill in the blanks:*

    1. *This woman has lost her mind.* —— mujer ha perdido la razón. 2. *That is Aunt Victoria.* —— es la tía Victoria. 3. *They use a pretext like this.* Se valen de un pretexto como ——. 4. *That (which you say) may be true.* —— puede ser verdad. 5. *This condition came to an end.* —— pasó. 6. *That is why I came with my mother.* Por —— acompañé a mi madre. 7. *Those eyes are the eyes of my ancestors.* —— ojos son los ojos de mis antepasados. 8. *What is that thing (over there)?* ¿Qué es ——? 9. *We shall never again see those times.* Nunca más veremos los tiempos ——. 10. *This false pride blinds me.* —— orgullo falso me tiene ciega.

III. Confusing Couplets.

    A. Review por *and* para. *Supply the appropriate word and translate:*

    1. Lucharé —— todos los medios posibles. 2. Carlos mira ——
todas partes. 3. He venido —— la nena. 4. He hecho esfuerzos ——
contenerme. 5. Estoy impaciente —— hablar. 6. ¿ —— qué me
haces esta mueca? 7. Quiero verla —— un instante, —— favor.
8. Se inclina —— tomar a la nena.

    B. Use either pedir *or* preguntar *and explain why:*

    1. Lola —— si Uvalinda ha llevado la carta. 2. Su hermano ——
cómo ha contestado Victoria. 3. También —— que ella lo perdone.
4. Carlos —— permiso para casarse con Ruth. 5. Dice Mrs. Adams:
——me cualquier otra cosa y se la daré.

IV. *Translate into Spanish:*

    1. What difference does that make? 2. Permit me to laugh. 3. I
have a right to see her. 4. Are those horrible foreigners still here?
5. Tell him to keep quiet and go away. 6. I asked you to explain.
7. Mrs. Adams came for the child. 8. On that account I asked if you
would forgive her. 9. Do you think it just that a man should take his
family with him? 10. Uvalinda rewarded the student who came out
well in her class.

V. *Para discutir.*

    1. ¿ Quién es más romántico: un norteamericano o un latino-
        americano?
    2. ¿ Qué es lo mejor del pueblo norteamericano?
    3. ¿ Qué pueden ofrecer los sudamericanos?
    4. ¿ Cuál de los dos idiomas es más fácil?

7. *El pirata fantasma*

(Act I, pages 66–78)

I. *Answer in complete sentences in Spanish:*

    1. ¿ Cuándo tiene lugar la acción de esta comedia? 2. ¿ A qué
hora de la noche comienza? 3. ¿ Quién es Hermenegilda? 4. ¿ Cómo
se llama el soldado? 5. ¿ Por qué tienen miedo los dos? 6. ¿ Dónde
estaba Anacleto durante el día? 7. ¿ Quiénes se han escapado?
8. ¿ Por qué no huyeron de Guayaquil los Seminario? 9. ¿ Qué tiene

que hacer Anacleto esta noche? 10. ¿Quién es Julieta? 11. Al entrar ¿qué lleva ella en la mano? 12. ¿Quién es Teresa? 13. ¿A dónde manda ella a Hermy? 14. ¿Qué es lo raro en cuanto a las cartas? 15. ¿Dónde está el capitán Seminario? 16. ¿Por qué no le gusta a la abuela el casamiento de su hija? 17. ¿A quién vió Hermy en otro cuarto? 18. ¿Quién es Juan? 19. ¿Qué pide Hermenegilda? 20. ¿Quiénes aparecen por la trampa?

II. Grammar. *A. Time clauses. In your text find the Spanish equivalent of the following and review the use of* hacer *to express time.*

1. We haven't had (*saber*) a word from him for two years. 2. It has been a week that he has been away. 3. I'd like to know where he has been these two years.

B. Relative pronouns. From the text see how the authors express:

1. Her mother is the one who gives her money. 2. We can discover the one who has taken his name. 3. I'd like to know where he has been.

C. Subjunctive after words of doubting. Review the use of the subjunctive in noun clauses and fill blanks with the correct form of the verb supplied.

1. No creo que (haber) —— sido tu tía. 2. ¿No estás segura de que la (haber) —— recibido.

Compare with the following and explain the difference:

3. ¿Estás segura de no saberlo? 4. Estoy segura de que hay un tesoro escondido.

III. Idioms. *Use these idioms in sentences.*

lo mismo; tener miedo; meter la nariz en; hasta luego; hasta más vernos; por supuesto que sí; preocuparse de; burlarse de; abusar de; aprovecharse de.

IV. Cognates. *What are the English cognates of the following words, used in the first play:*

adaptarse; agonía; agricultura; altar; analítico; aristocrático; aviador; bandido; barril; calcular; caníbal; canoa; capturar; catedral; clínica; colosal; confortable; convento; crimen; criminal.

V. *Translate into Spanish:*

1. In the background there was a piece of furniture which concealed a trapdoor. 2. We killed most of the pirates, but a few escaped. 3. Maybe I'm not handsome, but I'm very brave. 4. Come here,

Hermy! I'm coming, señorita. 5. These mysterious letters announce that they will discuss a family matter that night. 6. I haven't the slightest doubt that you saw the widow of the Tamarind Tree, the one who looked for her husband. 7. Are you sure there is no ghost under the table? 8. Everybody picks on poor Hermy because she's stupid. 9. When somebody knocked, Hermy was sure it was pirates. 10. Teresa told her to open the door.

VI. *Topics for brief oral talks or written paragraphs.*

1. Mi idea de los piratas
2. Algunas supersticiones o leyendas que conozca
3. Un cuento de fantasmas

8. *El pirata fantasma*

(Act I, pages 79–95)

I. *Answer in Spanish:*

1. ¿Por qué ha llegado el capitán Pérez? 2. ¿Cómo sabe Vd. que Julieta es romántica? 3. ¿Por qué no puede el capitán dar una descripción del jefe de los piratas? 4. ¿Por qué pueden escaparse los piratas muchas veces? 5. ¿Por qué está segura doña Tadea que van a capturarlos? 6. ¿Por qué no tiene armas Juan? 7. ¿Quién llama a la puerta? 8. ¿Por qué cree Hermy que es el pirata? 9. ¿De dónde es Bob Taylor? 10. ¿Para qué ha llegado a Guayaquil? 11. ¿A cuál de los Seminario ha conocido antes? 12. ¿Qué buenas noticias lleva a doña Tadea? 13. ¿Qué explicación tiene Julieta de la ausencia de su abuelo? 14. ¿Qué sospecha Renard? 15. ¿Qué quiere que haga su esposa? 16. ¿En dónde va a dormir Bob? 17. ¿Por qué tiene Hermy tanto miedo? 18. ¿Qué quiere doña Tadea? 19. ¿Qué le sucede a ella al final del acto? 20. ¿Quién está con ella cuando alguien la mata?

II. Grammar.

A. Interrogatives. Translate the following questions.

1. Who is going away (*irse*)? 2. Why doesn't he come in? 3. How many letters has she? 4. Have you your pistol? 5. What happened? 6. How do you know that? 7. At what time will he come? 8. Where is he? 9. What is the reason you go to the door? 10. What is her latest stupidity? 11. You haven't seen anybody, have you? 12. When did you return?

B. Future of Possibility. Remembering that the future tense, when not indi-cating future time, may indicate "I wonder" or "Probably" in present time, fill in the following blanks in sentences taken from the first half of this act.

1. *I wonder who it can be.* ¿Quién ——? 2. *Is it possible that grand-father is alive?* ¿ —— que el abuelo esté vivo? 3. *I wonder whether grandmother has received a letter.* ¿No —— recibido la abuela una carta? 4. *It is probably another attack of nerves.* —— otro ataque de nervios.

III. Cognates. *What are the English cognates of these words used in the first play:*

descendiente; diplomacia; disputar; domesticado; especie; espec-tador; espía; estrangular; galope; hamaca; higiénico; idiota; im-prudencia; indiferente; lógico; mágico; pausa; persuadir; pre-caución.

IV. *Translate into Spanish:*

1. I wonder why she doesn't have him come in. 2. Ask him what he wants at this hour of the night. 3. Ask Renard to go to the room right away. 4. Those soldiers who are without guns are probably not good for anything. 5. Are you sure that Bob is not a pirate? 6. A pirate wouldn't pound the door to attract attention. 7. I don't doubt that Hermy will fix the guest room for the foreigner. 8. On that account, she probably has an attack of nerves. 9. I don't know how, or when, or where the pirates will attack. 10. I wonder if the shot has come from around here.

V. Free Composition.

A. Prepare questions in Spanish on the first act to have other members of the class answer. Demand that they reply in complete and correct sentences.

B. Make a speech or write a paragraph in Spanish about the person who, in your opinion, is guilty of the murder of doña Tadea. Give reasons for your belief.

9. *El pirata fantasma*

(Act II, pages 96–106)

I. *Answer in Spanish:*

1. ¿Cuánto tiempo ha pasado desde el final del primer acto? 2. ¿Por qué quiere morir Anacleto si Hermy muere? 3. ¿Dónde

está Bob Taylor? 4. ¿Por qué lo defiende Julieta? 5. ¿Por qué saluda tanto el soldado? 6. ¿Qué sugiere el capitán? 7. ¿Qué le pide la señorita Julieta? 8. ¿Qué peligro hay en enviar a Bob a la cárcel? 9. ¿Cómo corrige el capitán a Renard? 10. ¿Cómo está guardada la casa? 11. ¿Dónde está Teresa? 12. ¿Por qué es necesario llamarla? 13. ¿Quién será el secretario del juicio? 14. ¿Quién causa confusión? 15. ¿Cuántos años tiene el prisionero? 16. ¿Por qué le tiene simpatía Julieta? 17. ¿Qué ofrece ella? 18. ¿Por qué no lo defiende Renard? 19. ¿Por qué no puede Bob probar su identidad? 20. En la reconstrucción del crimen ¿quién va a ser la víctima?

II. Grammar.

A. Articles. Review the differences in usage of the definite article in English and supply the correct article, when necessary, in the following sentences:

1. *We are going to jail.* Iremos a —— carcel. 2. *Ghosts are following you.* —— fantasmas te persiguen. 3. *Water is the home of pirates.* —— agua es —— hogar de —— piratas. 4. *She has romantic ideas about Spanish.* Ella tiene —— ideas románticas de —— español. 5. *The laws of hospitality forbid it.* —— leyes de —— hospitalidad lo prohiben. 6. *I'm sorry about what has occurred.* Lamento mucho —— ocurrido.

B. Subjunctives in clauses of indefinite future time. Review the use of the subjunctive in adverb clauses and use it, when necessary, in the following sentences:

1. *When you finish, I have some questions.* Cuando Vd. ——, yo tengo algunas preguntas. 2. *When I went to my room, the pistol had disappeared.* Cuando —— a mi cuarto, la pistola había desaparecido. 3. *I'll do nothing until we have good proof.* No haré nada hasta que —— buenas pruebas. 4. *Until we have hanged the pirate, I shall need your help.* Hasta que —— ahorcado al pirata, necesito tu ayuda. 5. *After you died, the ghosts would come.* Después de que tú ——, vendrían los fantasmas.

III. *Translate into Spanish:*

1. Anacleto preferred to kill himself rather than die of fright. 2. As soon as the captain comes, they will hang the murderer. 3. Nobody knew whether he was guilty or not. 4. What good is one brave heart when I have two cowardly legs? 5. I wonder if the North American is guilty. (*Four words in Spanish*). 6. The noble captain is never deaf when a pretty girl asks a favor. 7. On the other hand, Renard asks them to hang him without a trial. 8. You probably mean that I am

mistaken. 9. The captain was sorry to have to bother the sad family.
10. Nobody is sure that the prisoner is really Bob Taylor.

IV. Oral or Written Free Composition.

1. *Prepare in Spanish an account of Bob's trip from Boston to Guayaquil.
Tell or write it in the first person.*

2. *Prepare a speech that a lawyer might make showing the innocence of the
prisoner.*

10. *El pirata fantasma*

(Act II, pages 107-125)

I. *Answer in Spanish:*

1. ¿Qué lleva Juan, al entrar? 2. ¿Por qué no puede Anacleto
hacer el papel de víctima? 3. ¿Qué le muestra Renard al capitán
Pérez? 4. ¿Quién era la única persona que estaba cerca de la
puerta de donde partió la bala? 5. ¿Qué podía decir la defensa?
6. ¿Cómo podría Bob probar su identidad? 7. ¿Por qué no fueron
todos a la habitación del huésped? 8. ¿A dónde fué Juan? 9. ¿A
dónde fué Teresa? 10. ¿Qué hizo Julieta? 11. ¿Por qué no quería Hermy quedarse en la sala? 12. En la conversación con Bob
¿qué quería Julieta? 13. ¿Por qué se puso serio el norteamericano?
14. ¿Por qué es imposible probar su identidad por el capitán del
buque que lo llevó de Panamá? 15. ¿Quiénes volvieron rápidamente a la sala? 16. ¿Por qué estaban enojados? 17. ¿Cuál era
la última petición de Bob? 18. ¿Qué plan sugirió Julieta para capturar a los piratas? 19. ¿Qué confesó ella a Hermy? 20. ¿Cómo
volvió a entrar Renard en la sala?

II. Grammar. *Conditional sentences. Review Simple and Contrary to Fact
Conditions and fill the blanks with the proper form of the verb:*

1. *If we don't do something, his men will come.* Si no —— algo, su
gente ——. 2. *If he is a member of our family, it is my duty to defend him.*
Si —— miembro de la familia, a mí me (tocar) —— defenderlo. 3. *If
he did it, he will now explain it to us.* Si él lo ——, ya nos lo ——. 4. *If I
suspected him, I would hang him at once.* Si yo —— de él, lo —— en seguida. 5. *If you hadn't come, I would have died of fright.* Si tú no ——
venido, —— muerto de miedo.

III. Prepositions. *Fill each blank with a preposition that will make sense:*

1. Cumpla —— sus promesas. 2. Ya ha llegado el momento —— examinar la maleta. 3. ¿Está seguro —— que él no podrá escaparse? 4. Necesito hablar —— solas —— él. 5. Te necesitamos —— ti, Hermy. 6. Todos abusan —— mí. 7. No tenemos mucho tiempo —— hablar. 8. Mi abogado cree —— mi inocencia. 9. Te das cuenta —— tu peligro. 10. Me dejaré —— tonterías. 11. Te equivocas —— (*in regard to*) el capitán. 12. El tiene interés —— darte una oportunidad. 13. Estoy tratando —— mirar esto seriamente. 14. No tengo ganas —— perderla.

IV. *Translate into Spanish:*

1. John came in, downstage left, pushing the wheel chair. 2. Teresa sat in it and showed where the bullet must have come through the door. 3. By that, she proved that the captain was the murderer of her mother. 4. She produced documents to convince them that Juan was the pirate chief. 5. Taking into account his silence, Julieta thought Bob was looking for the pirates. 6. I wonder where Hermy finds so many ghosts. 7. Raising her pistol, she tried to shoot Teresa. 8. When they look in Bob's satchel, they will find the portrait of Capt. Seminario. 9. From the beginning, you knew who he was, didn't you? 10. Bob killed his uncle with a chair and escaped through the trapdoor.

V. Free Composition.

Write a brief account in Spanish of Bob's trial or tell it like a radio commentator over the air.

11. *El pirata fantasma*

(Act III, pages 126–135)

1. *Answer in Spanish:*

1. ¿Qué hora era cuando empezó el acto? 2. ¿Cuánto faltaba para la medianoche? 3. ¿Quién tenía esperanzas de salvar la vida de Bob? 4. ¿Dónde estaba Teresa al principio del acto? 5. ¿Quién quería dejar la casa inmediatamente? 6. ¿Por qué no quería salir Teresa? 7. ¿Qué confesó ella a su esposo? 8. ¿Cómo sabía Renard el asunto de las cartas? 9. ¿Quién pidió que las escribiese? 10. ¿Por qué

escribió él a los Estados Unidos? 11. Qué pasó cuando Hermy estaba sola en la salita? 12. ¿Por qué creyó ella que Anacleto era un fantasma? 13. ¿Qué había descubierto el capitán? 14. ¿Qué sugirió Renard? 15. ¿Cómo era la casa? 16. ¿Qué sospechas tenía doña Tadea? 17. ¿Cuándo pensaba Renard hacer el entierro? 18. ¿Por qué no debían tener miedo las mujeres teniendo a Juan en el barco? 19. ¿Qué anuncio de Juan sorprendió a Julieta? 20. ¿Qué buscaba Pérez?

II. Grammar. *Subjunctives in Adjective Clauses. Review the uses of the subjunctive in clauses modifying indefinite or negative antecedents, and fill the blanks with the proper forms:*

1. *I am looking for something that will save the prisoner.* Busco alguna cosa que —— al prisionero. 2. *Has Bob documents that can identify him?* ¿Tiene Bob documentos que —— identificarlo? 3. *This is the paper that will prove his identity.* Este es el papel que —— su identidad. 4. *There is nobody who wants to defend him.* No hay nadie que —— defenderlo.

III. Cognates. *What are the Spanish cognates of the following English words:*

rare, rapidly, important, occur, chapel, history, in respect to, majority, canoe, insult, accompany, confess, anniversary, surprise, suggest, secret, tunnel, disappear, map, peril.

IV. *Translate into Spanish:*

1. I am looking for Captain Pérez. 2. If he doesn't come, the pirate will escape. 3. At midnight, the life of the pirate captain will end. 4. I wonder where Captain Seminario is now. 5. Doña Tadea told me to write the letters. 6. Fifty years ago she married don Aristides. 7. For many years she had been living in a house full of tunnels. 8. Can she possibly be ignorant of the secrets of her house? 9. If I had made the last voyage with Mr. Seminario, I would be dead now. 10. Bob is looking for documents that can save his life.

V. Free Composition.

1. *Tell in the first person the adventures of Rodrigo during his last trip with Captain Seminario.*

2. *Write a dialogue that might have taken place between Captain Pérez and Anacleto when the iron door was discovered. What should they do? What did it mean? Where did it lead? How could they open it? etc.*

12. *El pirata fantasma*

(Act III, pages 136–148)

I. *Answer in Spanish:*

1. ¿A qué hora estaban listas las mujeres? 2. ¿Por qué quería Pérez torturar al prisionero? 3. ¿Qué quería Julieta? 4. ¿Cómo podían las mujeres conocer la historia de la casa más tarde? 5. ¿Qué preguntó Bob al ver a su tío? 6. ¿Cuál es el último favor que pidió a Hermy? 7. ¿Por qué se puso enojado el capitán de la Guardia? 8. ¿Por qué creyó él que Bob sabía mucho de la casa? 9. Durante la conversación ¿por qué salió Renard? 10. Según él ¿cuál de las acusaciones contra Bob era falsa? 11. ¿Qué anunció Anacleto al salir de la trampa? 12. ¿Cómo sabían ellos que el soldado no había recibido ninguna herida? 13. ¿Qué pasó cuando el reloj dió las doce? 14. ¿Por qué no dijo Rodrigo antes el último deseo del capitán Seminario? 15. ¿Qué les mostró a todos? 16. ¿Quiénes iban a recibir la fortuna del capitán? 17. ¿Qué interrumpió su relato? 18. ¿Qué hizo Bob? 19. ¿Cómo sabía él el secreto de la casa de los Seminario? 20. ¿Quién era el pirata fantasma? 21. ¿Cuándo lo descubrió usted? 22. De estas dos comedias ¿cuál prefiere usted? 23. ¿Qué diferencia hay entre estas comedias y las que usted ve en el teatro? 24. ¿Quiénes podrían hacer los varios papeles si se hicieran películas de estas comedias? 25. ¿Qué cambios son necesarios para adaptarlas a las películas?

II. Grammar. *Subjunctives with impersonal expressions. Review the use of the subjunctive after impersonal verbs and use the proper form of the verb in the following sentences:*

1. *It is necessary for us to go.* Es necesario que ——. 2. *It is true that it is a fantastic story.* Es verdad que —— un cuento fantástico. 3. *It may be that I am the pirate chief.* Puede ser que —— el jefe de los piratas. 4. *It was impossible for me to have stolen the chalice.* Era imposible que yo —— robado el cáliz. 5. *Is it true that you still go on making jokes?* ¿Es verdad que todavía —— haciendo bromas? 6. *It is useless for me to try to talk.* Es inútil que —— (intentar) hablar.

III. Idioms. *Use the following idiomatic phrases from this act, in complete sentences:*

piensa hacer; me gustaría; por otra parte; tomar en cuenta;

burlarse de; darse cuenta; hacer daño; saber volar; caer en gracia; cumplir con; ponerse de acuerdo; por lo mismo.

IV. *Translate into Spanish:*

1. If we hadn't seen it, we wouldn't have believed it. 2. Captain Pérez's soldiers have the house surrounded. 3. It is a shame that he cannot convince them. 4. Julieta has something very important to tell us. 5. What did the prisoner have to do with all that? 6. Please don't hang him until he hears the end of the story ! 7. Are you sure that you will find the documents about the will? 8. If that is the pirate chief, what is his name? 9. I think I know him; at least I know where he is. 10. Ask him if he has ever asked her for help.

V. Free Composition.

1. *Write or prepare to talk on one of the following topics:*

    A. The troubles of Hermy
    B. The suspicions of doña Tadea
    C. What happened afterward to the various characters

2. *Prepare and act out before the rest of the class a dialogue in which:*

    A. Tadea tells Renard her suspicions about the pirate chief.
    B. Anacleto and Hermy make plans for their wedding.
    C. Julieta and Bob discuss his return to the United States.
    D. Teresa and Rodrigo prepare for the double funeral.

VOCABULARY

VOCABULARY

With the exceptions mentioned below, this vocabulary is intended to be complete. All new words, including those explained in footnotes, are repeated here. Difficult phrases and idioms are translated.

All irregular verb forms and other words showing orthographic changes found in *Sangre azul* are included and identified. Common irregular forms appearing in *El pirata fantasma* are not entered, however, since they will probably have been learned by the time the student begins reading the second play.

Geographical and historical references are listed with identification under the the main word.

Omitted from the vocabulary are:

Short, basic words, such as articles and short prepositions.

Easily recognized cognates, except when their gender may not be obvious.

Past participles used as adjectives, when they can be understood from the meaning of the infinitive, which is included.

Adverbs made by adding *–mente* to the feminine singular adjective, unless their meaning cannot be deduced from the translated adjective.

Diminutives, when the regular form appears: e.g., *enfermita*, whose meaning is clear from the *enfermo* entry.

ABBREVIATIONS

adj.	adjective	*inf.*	infinitive	*pl.*	plural
adv.	adverb	*imp.*	imperative	*prep.*	preposition
cond.	conditional	*imperf.*	imperfect	*pres.*	present
conj.	conjunction	*interj.*	interjection	*pret.*	preterite
dim.	diminutive	*m.*	masculine	*pron.*	pronoun
f.	feminine	*n.*	noun	*refl.*	reflexive
fut.	future	*p.p.*	past participle	*S.A.*	South America
		subj.	subjunctive		

A

abandonar to abandon, desert, leave

abierto *p.p. of* **abrir** opened

abogado lawyer

abrazar to embrace, hug

abrigar to protect

abrir to open

absoluto absolute; **absolutamente** absolutely; **en absoluto** absolutely not

abuelo, abuela grandfather, grandmother; *pl.* ancestors; **abuelita** *dim.*, granny

aburrir to bore, annoy

abusar de to abuse, "pick on," take advantage of

acá here, over here; **por acá** around here; **para acá** here

acabar to end; **acabarse** to end; **acabar con** to finish off; **acabar de** + *inf.* to have just; **acaba de matar** he has just killed

acaso perhaps; by chance

accionista *m. & f.* stockholder

acento accent

acerca de about, concerning

acercar to bring near; **acercarse a** to approach

acerque *subj. of* **acercar**

acompañar to go with, stay with, come with, accompany

aconsejar to advise

acortar to shorten

acostarse to go to bed

acostumbrarse to get used to, be accustomed to; settle

actual present

acuerdo agreement; **de acuerdo con** in agreement with, according to

adaptar to adapt, fit

adelantarse to step forward

además besides

adentro inside

adiós goodbye

adonde where, to where; **¿ a dónde?** where ?

adorar to worship, adore

advertir to notice, realize

advierto *pres. of* **advertir**

aeropuerto airport

afecto affection

afirmar to state, declare

afuera *adv.* outside

agente *m.* agent

agitar to stir up, upset

agonía agony, suffering

agradable pleasant

agradar to please

agradecer to be thankful for, say thanks

agradezco *pres. of* **agradecer**

agregar to add

agua water

agujero hole

ahí there (*near the person addressed*); **ahí mismo** right there

ahora now; **ahora mismo** right now; **por ahora** for the present; **ahora que** *conj.* now that

ahorcar to hang

ahumado smoked

aire *m.* air, appearance

ajeno another's; **lo ajeno** what belongs to others

alacrán *m.* scorpion

alegrar to gladden, cheer; **alegrarse de** to be glad of

alegre merry, happy, cheerful

alegría merriment, joy

alejarse to go away

algo something, anything; **algo que ver con** something to do with

alguien someone

alguno some, any

aliada ally, helper

alimento food

alma soul; *often to be translated* heart; **alma de Dios** poor fool

aló hello (*answering telephone*)

alrededor de around

altar *m.* altar; **pasar por el altar** to get married

alterado disturbed, worried

alto high; **en alto** raised

alzar to raise; **se alza de hombros** shrugs shoulders

allí there; **por allí** over there, through there

amable kind

amanecer to dawn, get light (*in the morning*); **al amanecer** at dawn

amar to love

ambos both

amenazar to threaten

amigo friend

amistad *f.* friendship

amor *m.* love; **amores** love affair

anciano old

andar to go, proceed; be

ángel *m.* angel

ángulo angle

angustia distress

animar to encourage

ánimo courage, spirit; ambition

anoche last night; **lo de anoche** last night's affair

anochecer to get dark; **al anochecer** at nightfall

anófeles *m.* anopheles (*mosquito*)

anónimo anonymous; **sociedad anónima** stock company

ansiedad *f.* anxiety

ante before, in the presence of

antepasado ancestor

anterior former

antes before; **antes de** *prep.* before; **antes que** *conj.* before; **antes que nada** first of all; **antes de que** *conj.* before

año year; **tengo 25 años** I am 25 years old; **¿ cuántos años tiene?** how old is he?

apagar to put out (*light or fire*)

aparecer to appear

apenas hardly

aplaudir to applaud

apreciar to appreciate, value

aprender to learn (*by studying*)

apretar to press tight

aprovechar(se) (de) to take advantage

of; **salir aprovechado** to pass a
 course
apurarse to hurry
aquel, aquella that
aquél, aquélla that one
aquí here (*near the speaker*); **por aquí**
 around here
árbol *m.* tree
arco arch
aristócrata *m. & f.* aristocrat
arma weapon; **sin armas** unarmed
arrastrar to drag
arreglar to arrange, put in order, fix
arreglo settlement
arrepentirse to repent; change mind
arriba upstairs
arrojar to throw, cast
arroz *m.* rice
arrullar to rock
asegurar to assure
asesinar to kill, assassinate
asesino assassin, murderer
así in that way, like that; **así como** like,
 just as; **así es** that's so
asistir to be present
asomarse to peer out, appear
asombrar to astonish
asunto matter, affair
asustado frightened
asustar to frighten, scare; **asustarse** to
 be frightened
ataque *m.*, attack
ataúd *m.* coffin; **viuda del ataúd** *The
 Widow of the Coffin who floats on the
 Guayas is a folk legend of Ecuador*
atención *f.* attention; interest; **prestar
 atención** pay attention; **con atención**
 attentively
atento attentive, thoughtful
atrás back; **para atrás** backward
atravesar to cross, walk through
atraviesa *pres. of* **atravesar**
atreverse a to dare to
atrevido daring
aumentar to increase, add to
aun, aún even, still, yet
aunque although
ausencia absence
avanzar to advance, go forward
aventura adventure
avión *m.* airplane; **avión a chorro** jet
 plane
avisar to inform, to send word
ay *interj.* oh (*expressing pain*)

ayer yesterday
ayuda help
ayudar to help
azul blue

B

bailar to dance
baile *m.* dance
bajar to get out (*of an automobile or boat*)
bajo low
bajo *prep.* under
bala ball, bullet
balcón *m.* window (*with a balcony*); balcony
bambalina theater wing; **detrás de las
 bambalinas** offstage
bambú *m.* bamboo
bandeja tray
bandido bandit
bañarse to bathe
baño bath
barba beard
bárbaro barbarous, uncivilized; awful
barco boat
barra bar
barril *m.* barrel
barrio ward, district
bastante, *adj. & adv.* enough, sufficient
bastar to be enough
batalla battle
beber to drink
bello beautiful
besar to kiss
beso kiss
bien well, all right; *n.m.* the truth;
 bien mío my dear
bienvenida welcome
bigote *m.* mustache
boca mouth
boda wedding; **bodas de oro** golden
 wedding
bolchevique Bolshevik (Communist)
bolsa purse
bolsillo pocket
bomba pump, spray; **bomba de flit** Flit
 spray
bondad *f.* goodness, kindness; **tenga la
 bondad de** please
bono stock
bordo board; **a bordo de** on board
bota boot
botella bottle
botica drug store

botón *m.* button
brazo arm; **de brazo** arm in arm
breve short, brief
broma joke; **tomar a broma** to make a joke of
brotar to germinate; be produced
brutal brutal, uncivilized
bueno good, well
burlar to mock; **burlarse de** to make fun of

C

caballero gentleman
caballo horse
caber to be contained; **no cabe en sí** can't contain himself; **no me cabe duda** I have no doubt
cabeza head
Cabo de Hornos Cape Horn (*at southern tip of South America*)
cacao cocoa bean
cada each, every
cadáver *m.* dead body
Cádiz *a seaport of southwestern Spain*
caer to fall; **hacer caer** to knock over
caja box, case, chest
caliente warm, hot
cáliz *m.* chalice; Holy Communion cup
calmarse to get calm
calor *m.* heat, warmth; **hace calor** it is hot
callarse to keep still
calle *f.* street
cama bed
cámara hall, chamber; **cámara de agricultura** Farm Bureau
cambiar to change; **cambiarse de** to change (*clothes*)
cambio change; **en cambio** on the other hand
caminar to travel, walk
camino way; **en medio camino** on the way
campo country (*as contrasted with city*); field
canción *f.* song
caníbal *m.* cannibal
canoa canoe
cantidad *f.* quantity
cañonazo cannon shot
capa cape, cloak; **capa y espada** cape and sword (*part of the costume of Spanish nobility during the Golden Age, and hence the name of a romantic, adventurous type of play with noble characters*)
capaz (*pl.* **capaces**) capable, able
capilla chapel
cara face
carácter *m.* (*pl.* **caracteres**) character, habit
carcajada burst of laughter
cárcel *f.* prison, jail
cargar to load, carry
cargo charge, accusation
cariño affection
carne *f.* meat, flesh
caro dear
carpintero carpenter
carta letter; **carta de crédito** letter of credit
cartera pocketbook, billfold
cartero letter carrier
cartón *m.* cardboard
casa house; **a casa** home; **¡a casa!** go home!
casamiento marriage
casarse con to marry
casi almost
caso case, affair; contingency; **en el caso de usted** if I were you; **en todo caso** anyway; **en caso de que** in case; **hacer caso de** to pay attention to
castellano Spanish (*the language*)
castigar to punish
castigo punishment
causa cause; **a causa de** because of; **sin causa** unfounded
ceder to give up
celebrar to celebrate, be glad of, applaud; observe a ceremony; **después de celebrada la boda** after the wedding
celoso jealous
cementerio cemetery
central central; *n.m.* center
centro center, middle
cerca nearby
cercano nearby
cerebro brain, mind
cerrar to shut, close; **cerrar con llave** lock
cesar to cease, stop
cicatriz *f.* scar
ciego blind
cielo sky, heaven; **¡cielos!** good heavens!; **los cielos** heaven

cien *used for* ciento *before nouns* one hundred

ciencia science

ciento a hundred; por ciento per cent.

cierra *imp. of* cerrar

cierto certain; en lo cierto right; lo cierto it is certain

cinco five

cínico cynic

cinismo cynicism; impudence

cintura waist

cita date, engagement, appointment

citronela citronella (*oil which protects against mosquitoes; also used as a fly spray*)

ciudad *f.* city

claro clear, obvious; ¡ claro ! of course !; claro que sí of course; sacar *or* poner en claro clear up

clavar to fasten; focus

clima *m.* climate

clínica clinic, hospital

Club Unión *the leading social club of Guayaquil*

cobarde cowardly

cocinera cook

cocktail *m.* cocktail (*mixed drink*)

cocodrilo crocodile

coche *m.* carriage, coach; baby carriage

coger to catch, seize; cogidos del brazo arm in arm

colchón *m.* mattress, roll of bedding

colgar to hang

color *m.* color

comedia comedy; play

comedor *m.* dining room

comenzar to commence

comer to eat; comerse to eat up

comerciante *m.* merchant

cometer to commit

comida food, meal

como as, like; como yo like me; como si as if

cómo how?; ¿ cómo es él? what is he like?; cómo no of course, why not

comodidad *f.* comfort; *pl.* conveniences

compañía company, companion; en compañía de with

complot *m.* plot

comprender to understand

comunicar to communicate, send word; connect

con with

conceder to grant, give

conducir to lead

confianza confidence, trust

confiar to confide, trust

confieso *pres. of* confesar

conforme in agreement

confuso confused

conmigo with me

conocer to be acquainted with, know; *in pret.* meet

conocido acquaintance

conquista conquest

conseguir to obtain, get

consejo piece of advice; *pl.* advice

consentir to consent, permit

consigo *pres. of* conseguir

construir to build, construct

contar to tell (*a story*); contar con deal with, count on

contener to contain; hold back

contento satisfied, happy, contented; *n.m.* satisfaction, contentment

contestación *f.* answer

contestar to answer

contigo with you

continuar to continue, go on

contra against; en contra de against, contrary to

contrario contrary; lo contrario the opposite thing

convencer to convince

convenir to suit, be convenient

convertir to change

convierta *pres. subj. of* convertir

copa glass, goblet

corazón *m.* heart

coro chorus; a coro in chorus

corredor *m.* corridor, hall

corregir to correct

correr to run

correspondencia mail

corriente *f.* current (*of river*)

cortés polite, courteous, flattering

cortesía politeness, courtesy, flattery

cortina curtain

cosa thing, matter

costa coast

costumbre *f.* habit, custom

creador creative; *n.m.* Creator

crecer to grow, increase

crédito credit; carta de crédito letter of credit (*with which to obtain cash*)

creer to believe, think; creo que sí (no) I think so (not)

criada maid

criado servant

criar to bring up; raise (*cattle*); rear (*children*)

crimen *m.* crime

criticar to criticize

cruz *f.* cross, sign of the cross

cruzar to cross

cuadrarse to stand at attention

cuadro picture; frame

cual which

¿ cuál ? which ?

cualquiera any, anyone

cuán (*before adj. & adv.*) how

cuando when

¿ cuándo ? when ?

cuanto as much as; everything that; **cuanto antes** as soon as possible; **en cuanto a** as for, in regard to, about

¿ cuánto ? how much ?; *pl.* how many ?

cuartel *m.* barracks, armory, army headquarters; **cuartel general** general headquarters

cuarto room, apartment

cubierta deck

cubierto *p.p. of* **cubrir**

cubrir to cover

cuelga *pres. of* **colgar**

cuello neck; collar

cuenta account; **dar cuenta** to report; **darse cuenta** to notice, realize; **tener** *or* **tomar en cuenta** take into consideration; hold to account

cuento story, tale

cuerda rope

cuero leather

cuerpo body

cuestión *f.* matter

cuidado care; **sin cuidado** unworried, carefree; **de cuidado** serious, to worry about; **tener cuidado** to take care, be careful

cuidadosamente carefully

cuidar to take care of

culpa blame; **tener la culpa de eso** to be to blame for that

culpable guilty

cultivo cultivation

cumplir (**con**) to carry out; do one's duty

cura *m.* priest

curioso inquisitive

curso course

Ch

chaqueta jacket, coat

chico small; *n.* **chico** boy, lad; **chica** girl

chiquilla *dim. of* **chica**

chocar to collide

chorro jet propulsion

choza hut; **choza de bambú** bamboo hut

D

dama lady (*of rank*)

daño harm; **hacer daño** to harm

dar to give; **dar cuenta** to give an account, account for; **darse cuenta** to notice, realize; **dar miedo** to scare; **dar sobre** to look over; **da al corredor** it faces the hall; **me da lo mismo** it's the same to me; **dando y dando** mutual help

deber to owe; ought

deber *m.* duty, task

debido fitting, proper

débil weak

decir to tell; **es decir** that is to say; **digo** I mean

declarar to state, declare

dedo finger

defender to defend, protect

defiende *pres. of* **defender**

dejar to leave, let; **deja caer la maleta** he drops the suitcase; **dejar de (tocar)** to stop (playing); **dejarse tomar por** to let oneself be taken by

demás rest; excessive; **lo demás** everything else

demasiado *adv. & adj.* too, too well; too much, very much

demostrar to demonstrate, show

dentro *adv.* inside; **aquí dentro** inside here

dentro de *prep.* inside of

departamento apartment, suite

derecho right; **por derecho** by rights; **por la derecha** on the right; *n.m.* right, privilege

derramar to spill

desaparecer to disappear

desarrollarse to develop

desayunarse to eat breakfast

descansar to rest

descendiente *m. & f.* descendant

desconocido unknown, unfamiliar

describir to describe

descubrir to discover

desde *prep.* from (*place*); since (*time*); **desde que** *conj.* since

desear to desire, wish

deseo desire, wish

desesperado desperate, in despair

desgracia misfortune

desgraciado unfortunate; *n.m.* wretch

desinteresado impersonal, unbiased

despachar to dispatch, send along, forward

despedirse (de) to dismiss, say goodbye to

despertar to awaken

despierto awake

despídase *subj. of* **despedirse**

después later, then; **después de** after

destruir to destroy

destruye *pres. of* **destruir; destruyó** *pret. of* **destruir**

detalle *m.* detail

detenerse to stop

detrás de behind

devolver to give back, restore

di *imp. of* **decir**; speak; what is it?; *also pret. of* **dar**

día *m.* day; time; **cada día más** more and more; **tan pocos días** so few days; **todos los días** daily, every day

diablo devil

dice *pres. of* **decir**; **dice que sí** he says yes

dicha happiness

dicho *p.p. of* **decir**

dichoso lucky; confounded

diente *m.* tooth

dieras *past subj. of* **dar**

diez ten

difícil difficult, hard

dificultad *f.* difficulty, trouble

diga *pres. subj. of* **decir**; **¿ diga ?** what is it?

digno worthy, dignified, honorable

dijeras *past subj. of* **decir**

dinero money

dios God; **por dios** for heaven's sake

diría *cond. of* **decir**

dirigirse a to direct; turn, start toward

disculpar to excuse, pardon

discutir to discuss

disfrazar to disguise; *n.m.* **disfrazado** disguised or masked person

disgustar to displease

disgusto annoyance, disgust

disimular to conceal

disparo shot

disponerse a to get ready

disponible available

distancia distance; **de larga distancia** long distance

distinto different

divertir to amuse; **divertirse** to amuse oneself, have a good time

divirtiera *past subj. of* **divertir**

doblar to fold

dolor *m.* pain, ache; sorrow

domesticado tamed

dominar to dominate, stand out

domingo Sunday

don Don (*used before Christian names of men; not translated in English*)

donde where; **por donde** any place through which; **¿ dónde ?** where?

doña Doña (*used before Christian names of women; not translated in English*)

dormir to sleep

dormitorio bedroom

dos two

ducha shower bath

duda doubt

dudar to doubt, be doubtful of

dueño master, owner

dulce sweet

durante during, for

durar to last

duro hard, tough, stern; **muy duro** too bad

E

e *conj. used before words beginning with* **i** *or* **hi** and

Ecuador *m. nation on west coast of South America*

ecuatoriano Ecuadorian; **a la ecuatoriana** in Ecuadorian style

echar to throw, cast; **lo echó a perder** ruined

edad *f.* age; **de edad** old

EE.UU. Estados Unidos The United States

ejemplo example; **por ejemplo** for instance

elegante elegant, stylish, fashionable

elegir to choose

embajada embassy

embajador *m.* ambassador, representative

embargo: sin embargo nevertheless, still

empezar to begin

empieza *pres. of* **empezar**

emprender to undertake, begin

empresa undertaking, business

empujar to push

encanto charm, spell

encargo commission, errand

encender to light, start (*a fire*)

encerrar to shut up

encima de on top of, above; **de encima** off (him)

encontrar to find; **encontraría** he probably found

encuentres *subj. of* **encontrar**

encuentro meeting; **a su encuentro** meet him

enemigo enemy

enfermedad *f.* illness

enfermo ill, sick; *n.m.* invalid

engañar to deceive

enjaulado caged

enojado angry

enorme huge

enseñar to teach, show

entender to understand

enterar to inform; find out

entero whole, entire

entierro burial, funeral

entonces then, at that time

entrada entrance

entrar come in, go in, enter

entre between; **por entre** among

entregar to hand over, surrender

entretanto meanwhile

enviar to send

envolver to wrap up; involve

envuelto (*p.p. of* **envolver**) wrapped; involved

época period, time

equipaje *m.* baggage

equipo equipment

equivocarse to be wrong, be mistaken

era *imperf. of* **ser**

eres *pres. 2nd person of* **ser**

es *pres. of* **ser**

escandalizarse to be shocked

escaparse to escape, run away

escena scene, stage

escoba broom

esconder to hide

escribir to write

escuchar to listen to, hear

ese, esa; ése, ésa, eso that; **como para eso** for that; **eso es** that's it; **eso sí** it is true; **por eso** on that account; that's why

esfuerzo effort

espada sword

espantoso frightful

español Spanish

especial special

especie *f.* kind, sort

esperanza hope

esperar to hope; wait for, expect

espía *m.* spy

espíritu *m.* spirit

esposo husband

estación *f.* season (*of the year*)

estado state, condition; **Estados Unidos** United States

estar to be; be present; **estar para** to be in favor of; **estará cansado** he is probably tired; **estar de acuerdo** to agree

este, esta this; *sometimes used to start sentences,* "Uh"; **esta vez** this time

éste, ésta, esto this one, the latter

estimar to esteem, respect

estómago stomach

estorbar to hinder, be in the way

estrangular to strangle

estrechar to clasp (*hands*)

estrella star

estudiar to study

estudio study

estuviese *past subj. of* **estar**

evitar to avoid, prevent, spare, escape

exacto exact, exactly

excepción *f.* exception; **con excepción de** except for

éxito outcome; success

explicación *f.* explanation

explicar to explain; **explicarse** to understand

explíquese *pres. subj.* (*polite command*) *of* **explicarse**

exponer to expose

extender to extend, hand out

exterior *m.* exterior

extiende *pres. of* **extender**

extranjero foreign; *n.m.* foreigner

extrañar to wonder at, be surprised at

extraño strange

extremo extreme; *n.m.* end

F

fácil easy

falda skirt

falta lack; **hacer falta** to lack

faltar to lack; **no faltaba más** that was (would be) the last straw; **ya no falta mucho** there's not much more

familia family; **de la familia** a member of the family

fantasma *m.* phantom, ghost

favor *m.* favor; **por favor** please

fe *f.* faith

fecha date (*of the month*)

felices *pl. of* **feliz**

felicidad *f.* happiness

feliz happy, fortunate; **por lo feliz** because I've been happy

fiarse de to trust in

fiebre *f.* fever

fiera wild beast

fiesta party, celebration

fijarse en to notice, realize, pay attention to

fijo fixed

fin *m.* end; **en fin** anyway; **por fin** finally, at last

final *m.* end; **al final** in the end

firmar to sign

firme firm, steady; **tierra firme** dry land

flit Flit (*fly killer*)

flor *f.* flower

flotante floating; **isla flotante** *the clumps of plants, broken off by high water, which float down the Guayas River*

fondo bottom; **al fondo** in the background; **en el fondo** at heart, basically

forma form; way

forzar to force (open)

franco frank, sincere; really

frase *f.* phrase

frecuente frequent

frente *f.* forehead

frente a *prep.* facing

frío cold

fuí *pret. of* **ser** *or* **ir**

fuego fire; **hacer fuego** to fire

fuera outside, away; **desde fuera** offstage; **fuera de** outside of

fuerte strong; loud

fuerza force; *pl.* strength

G

Galápagos *islands off the coast of Ecuador, famous for their big turtles, and a favorite rendezvous of pirates*

galope *m.* gallop

galpón *m.* (*S. A.*) shed

gana appetite, craving, desire; **de mala gana** unwillingly; **tener ganas de** to want to

ganancia profit

ganar to gain, win

garrafa carafe, water pitcher

gastar to spend (*money*); waste

gasto expense

genio disposition, temper

gente *f.* people, folks; class

gesto expression, gesture

golpe *m.* blow

golpear to beat, pound

gota drop (*of water*)

gozar (**de**) to enjoy; **gozarnos con su agonía** to enjoy her suffering

gracias thanks; **gracias a** thanks to; **tener gracia** to be funny; **caer en gracia** to appeal to a person

gracioso funny

grado degree

gran (*from* **grande**) *used before singular nouns* big, important

grande big, grand

grato pleasant, welcome

grave grave, serious

gringo foreigner

gritar to shout

grito cry, shout

guante *m.* glove

guapo good looking, handsome

guardar to guard, keep, look after

guardia *m. & f.* guard

guarida den; headquarters

Guayaquil *seaport of Ecuador*

Guayas *river on which Guayaquil is located*

guitarrista *m. & f.* guitar player

gustar to be pleasing to; **me gusta el agua** I like the water

gusto pleasure; taste; **mucho** (*or* **tanto**) **gusto en conocerle** I'm glad to meet you; **con todo gusto** gladly; **darse gusto** to have pleasure, enjoy

H

haber to have (*used to form perfect tenses*);

he de decir I am to say; **ha de pensar** must think; **ha de ser** it has to be; **ha habido** there have been; **has de haber pasado** you must have suffered; **¿ qué hay con eso?** what has that to do with it?

habré *fut. of* **haber**

habitación *f.* room

habitante *m.* inhabitant

hablar to speak

hacer to make; do; **hacer calor** to be warm; **hacer de** to take the place of; **hacer entrar** to have someone come in; **hacer para atrás** to toss; **hacer saber** to make known, to let someone know; **hacer tertulia** to spend the evening; **hace tiempo** for a long time; **hace un instante** a moment ago; **hace una pregunta** he asks a question, he questions; **¡ hágase a un lado !** get to one side !

hacia toward

hacienda property; plantation, farm

hago *subj. of* **hacer**

hallar to find; **hallarse** to be

hamaca hammock

hambre *f.* hunger; **tener hambre** to be hungry, eager

harán *fut. of* **hacer**

hasta as far as; till, until; **¿ hasta cuándo?** how long?; **hasta la vista** goodbye; I'll be seeing you; **hasta luego** I'll see you later; **hasta más vernos** until we see each other again; **hasta** *adv.* even; **hasta que** *conj.* until

hay (*pres. of* **haber**) there is, there are; **no hay que** (**ir**) one doesn't have to (go)

haya *subj. of* **haber**

hecho (*p.p. of* **hacer**); *n.m.* act; fact

hemos *pres. of* **haber**

heredar to inherit

herencia inheritance

herida wound

herido wounded

herir to wound

hermano brother; **hermana** sister; **hermanita** little sister, dear sister

hermoso beautiful

héroe *m.* hero

hervir to boil

hidroplano hydroplane

hierro iron

higiene *f.* hygiene

higiénico hygienic, pure

hijo son; boy; **hija** daughter; **hijo mío** my lad

hispanoamericanismo Hispano-Americanism

hizo *pret. of* **hacer**

hogar *m.* home

hombre *m.* man; **todo un hombre** a real man

hombro shoulder

honor *m.* honor

honra honor

honrado honorable

¡ hoopy ! whoopee !; hurray !

hora hour, time (*of day*)

horca gallows

hormiga ant; **hormiga blanca** termite

horrible horrible, dreadful, awful

horror *m.* horror

hospital *m.* hospital

hotel *m.* hotel

hoy today; **lo de hoy** today's doings

hubiera *past subj. of* **haber**

hueso bone

huesped *m.* guest

huir to flee, run away

humor *m.* humor

hundirse to sink

huye *pres. of* **huir**; **huyeron** *pret. of* **huir**

I

iba *imperf. of* **ir**

idioma *m.* language

idiota *m.* idiot; **de idiota** idiotic

ignorante ignorant

ignorar to be ignorant, not to know

igual equal; **me da igual** it's the same thing to me; **igual que** like

iluminar to illuminate, light up

ilustre illustrious, famous

imaginarse to imagine

impaciente impatient

impedir to prevent, hinder

impertinentes *m.pl.* lorgnette, *spectacles with a handle*

impiden *pres. of* **impedir**

importar to be important, matter; **¿ qué importa?** what difference does it make?

imprudencia imprudence, carelessness

inclinarse to bow, to stoop

incluir to include

incluyendo *pres. p. of* incluir

indicación *f.* suggestion; mark

indicar to indicate

indio Indian; *n.m.* Indian

industrialización *f.* industrialization

infierno Hell; **infierno verde** the terrible jungle; **los quintos infiernos** the depth of Hell

informarse de to inquire, find out about

ingeniero engineer

Inglaterra England

inglés English; *n.m.* English language

ingrato ungrateful

injusto unjust

inocente innocent, silly; *n.m.* innocent person

insistir en to insist on, keep on

instalar to install

instante instant, moment; **al instante** right away

instinto instinct

intenso intense, hard, intent; **intensamente** intently

intentar to attempt, try

interés *m.* interest, self interest, concern; **tener interés en** to be interested in

interesante interesting

interrumpir to interrupt

íntimo intimate

inútil useless

ir to go; come; **irse** to go away; **ir a** + *inf.* to start to; **¿qué va a ser?** how could it be?; **voy a (hacer)** I am going (to do) *equivalent to future tense*

ironía irony; **con ironía** ironically, sarcastically

isla island

istmo isthmus (of Panama)

izquierdo left; **(a la) izquierda** on the left, to the left

J

Jacinto *see* San Jacinto

jamás never, ever, not . . . ever

je je je *imitation of laugh of older person* heh heh !

jefe *m.* chief, leader

joven young; *n.m. or f.* young man, young woman

joya jewel; *pl.* jewelry

juez *m.* judge; **juez rural** justice of the peace

jugar to play (*a game*)

juicio judgment, trial, opinion

juntar to join

junto joined; *pl.* together

jurar to swear

justificar to justify; agree with

justo just, right

juzgar to judge, bring to trial

K

kilómetro kilometer, ⅗ *of a mile*

L

labio lip

lado side; **al lado** step to one side; nearby; **al lado de** beside; **a todos lados** in all directions; **de un lado a otro** from side to side, from one place to another

ladrón *m.* thief

lágrima tear

lamentar to lament, regret, be sorry for

lámpara lamp

lancha launch

lanzar to throw, launch; utter

largo long; **largamente** for a long time

lástima pity; **es lástima** it's too bad; **¡qué lástima!** what a shame!

lata tin can

lateral side

látigo whip

le to him, to her, to you

lector *m.* reader

leche *f.* milk

lechero milk-carrying (*boat*)

leer to read

lejano distant

lejos far, far off

lengua tongue

lenguaje *m.* language

lentes *m.pl.* glasses, spectacles

lento slow

letra letter (*of the alphabet*); handwriting

levantar to raise, lift up, pick up; **levantarse** get up; **al levantarse el telón** when the curtain rises

ley *f.* law

leyenda legend

leyendo *pres. p. of* leer

l'Hermite Jacob l'Hermite, *a French pirate who sacked Guayaquil twice*

librar to free, deliver
libre free, open
libro book
limpiar to clean, clear
lindo pretty, fine
línea line
listo ready, clever
lo *neuter article used with adjectives* that which is; **lo que** that which, what; **lo que es** as for; **lo de todos los días** everyday affair; **lo más posible** as much as possible; **lo que yo pensaba** just what I thought
lo him, you
lobo wolf; **lobo de mar** seadog
loco mad, crazy
locura madness, foolish act
lograr to obtain, accomplish, succeed in
Londres London
los the; **los Adams** the Adams family; **los de la Vega** the de la Vegas
loza crockery
luces *pl. of* **luz**
luchar to struggle, fight
luego then, next; **hasta luego** I'll see you later
lugar *m.* place; **en lugar de** instead of; **tener lugar** to take place
lujo luxury; **de lujo** de luxe, luxurious
luna moon
luz *f.* light; **luz de luna** moonlight

Ll

llama flame
llamada call (*by telephone*)
llamar to call, summon; attract (*attention*); **¿cómo se llama?** what is the name of?
llave *f.* key; **bajo llave** locked
llegada arrival
llegar to arrive, reach
llenar to fill
lleno full
llevar to carry; bring; **llevar a la broma** make a joke of; **llevar puesta** to wear; **llevarse** to take away
llorar to cry, weep
lluvia rain

M

madera wood, beam
madero lumber, stick

madre *f.* mother
madrugar to get up early
magnífico splendid, fine
mal badly; **menos mal** better
malecón *m.* dock, water front
maleta suitcase
malicia mischief; **con malicia** mischievously
malo wrong; **lo único malo** the only bad part
mancha stain, spot
manchar to stain
mandar to order, command; send; be responsible; **mande usted** what is it?; **mandó hacer** ordered made
mando command
manera way, manner; **de ninguna manera** not at all; **de manera que** so that
mano *f.* hand
mansión *f.* mansion, big house
manta blanket
mantener to maintain, keep
mañana morning; **por la mañana** in the morning
mañana *adv.* tomorrow
mapa *m.* map
máquina machine
mar *m. & f.* sea
maravilloso marvelous
marcado marked
marcar to mark, indicate; emphasize
marcha march; **poner en marcha** to get started
marchar to get going
marea tide
marido husband
marino sailor, seaman
marqués *m.* marquis
más more; rather; farther; **no más** just; **no más que** only; **¿quién más?** who else?
máscara mask; **con máscara** masked
matar to kill
matrimonio marriage
mayor greater, greatest
mayordomo majordomo, overseer, butler
mayoría majority
media half; **las once y media** half past eleven
medianoche *f.* midnight
medicina medicine
médico doctor

medida measure

medio half; *n.* means; **en medio de** in the midst of; **por medio de** by means of

mejilla cheek

mejor better, best; **lo mejor** the best part

melodrama melodrama, wild adventure

mencionar to mention

menor least

menos less, least; **por lo menos** at least; **menos** *prep.* except; **a menos que** *conj.* unless

mentira lie, falsehood

merecer to deserve

mérito merit

mes *m.* month

mesa table

metálico metallic; **tela metálica** wire screen

meter to put in, put inside, stick; **meterse** to go in

metralla grape shot, bullets

mezcla mixture

miedo fear, fright; **dar miedo** make afraid; **tener miedo** be afraid

miel *f.* honey

miembro member

mientras while, as long as; **mientras más** the more; **mientras más tarde venga** the later he comes

mil a thousand

milagro miracle

militar soldierly; **militarmente** like a soldier

mirada glance, look

mirar to look at, stare

miserable *m.* wretch

mismo very; same; **él mismo** he himself; the same one; **lo mismo** the same thing; **por lo mismo** for that reason

mitad *f.* half

modo way; **de otro modo** otherwise; **de este modo** like this; **de tal modo que** so that; **de todos modos** at any rate

molestar to bother, disturb, annoy

momento moment, minute; **de un momento a otro** any minute

morir to die

Morro, *Canal del Morro, one of two mouths of the Guayas River, see Zambeli*

mostrar to show, display

motivo ground, reason

mover(se) to move, shake

movimiento movement

mozo servant

muchacha girl; **muchachos** children, young people

mucho much, many, a lot, very

mudo silent, mute

mueble *m.* piece of furniture; *pl.* furniture

mueca face, expression

muelle *m.* dock

muerte *f.* death

muerto (*p.p. of* **morir**) dead; *n.m.* dead person; *n.f.* dead woman

muestra *pres. of* **mostrar**

mujer *f.* woman

mundo world; **todo el mundo** everybody

murió *pret. of* **morir**

murmurar to murmur, mutter

músico musician

mutis *m.* exit; **hacer mutis** to exit; **empezar el mutis** to start off stage

muy very

N

nacer to be born

nacido born

nacimiento birth

nada nothing, not . . . anything; **nada que ver con** nothing to do with

nadie nobody, no one

nariz *f.* nose; *pl.* nostrils; **dejar con un palmo de narices** to trick; **meter la nariz en** to meddle with

natural natural; **lo más natural** the most natural thing

naufragar to be shipwrecked

nave *f.* ship

necesidad *f.* necessity; **sin necesidad** unnecessarily

necesitar to need

negar to deny

negocio business, affair, deal

negro black; *n.m.* Negro

nena *f.* baby, infant

nene *m.* baby, infant

nervio nerve

nerviosidad *f.* nervousness

ni nor; not even; **ni siquiera** not even

niebla fog, mist

niega *pres. of* **negar**

nieto grandson; **nieta** granddaughter
nieve *f.* snow
ningún, ninguno no, no one
niño child, young person; **niña** girl
no no, not; **¿que no?** don't you think so?
noble noble; *n.m.* nobleman
noche *f.* night; **buenas noches** good evening; **de noche** at night; **esta noche** tonight; **medianoche** midnight; **toda la noche** the whole night
nombrar to name, mention
nombre *m.* name
norteamericano North American; **a la norteamericana** in North American style
notar to notice
noticia notice; *pl.* news
novio sweetheart, boy friend; fiancé; **novia** sweetheart
nuevo new; **nuevamente** again; **de nuevo** again
nunca never, not . . . ever

O

o or; **o . . . o** either . . . or
obedecer to obey
objeto object, purpose
obligación *f.* obligation, duty
obligar to force
obra work, composition
obscuridad *f.* darkness
obscuro dark
obtener to get
ocasión *f.* opportunity
ocultar to hide
ocupado busy
ocupar to occupy; **ocuparse** to look after; attend
ocurrir to happen; **ocurra lo que ocurra** whatever happens
ochenta eighty
ocho eight; **ocho días** a week
odiar to hate
oficial *m.* officer
ofrecer to offer
ofrezca *subj. of* **ofrecer**; **ofrezco** *pres. of* **ofrecer**
oír to hear
ojalá + *subj.* I hope that; would that, may
ojo eye
ola wave

olvidar to forget; **se me olvidó** I forgot
oponerse to oppose
opongo *pres. of* **oponer**
oportunidad *f.* opportunity
opuesto (*p.p. of* **oponer**) opposite
oración *f.* prayer
orden *f.* order; letter of credit
oreja ear
orgullo pride; **darse orgullo** to be proud
orgulloso proud
orilla shore (*of lake or stream*); **a orillas de** beside
oro gold
orquesta orchestra
os to you
otro other, another, another one
oye *imp. & pres. of* **oír**

P

paciencia patience
padre *m.* father; *pl.* father and mother, parents
pagano pagan, heathen
pagar to pay (for)
país *m.* country
paisaje *m.* landscape
paja straw
pájaro bird; **pajarillo** *dim. of* **pájaro**; **pajarito** my fine bird
palabra word
pálido pale
palmada hand clap; slap
palmera palm tree
paludismo malaria
pan *m.* bread
pantalón *m.* trousers; **pantalón de montar** riding breeches
pantomima pantomime; **en** (*or* **con**) **pantomima** by gestures
papel *m.* paper; role, part; **hacer un papel** play a part
par *m.* pair, couple
para for, to; **para las doce** before twelve o'clock
paraíso paradise
pararse to stop, stand
parecer to seem; **¿no te parece?** don't you think?; **¿te parece poco?** do you think it unimportant?; **me parece** I think
pared *f.* wall (*of a house*)
pariente *m.* relative

parte *f.* side; part; **de su parte** on his side; **en cualquier parte** anywhere; **en todas partes** everywhere; **la mayor parte de** most of; **por mi parte** as for me; **por otra parte** on the other hand, besides; **por todas partes** everywhere

partir to depart, leave

pasada turn; trick

pasado past; **el año pasado** last year

pasaje *m.* passage

pasar to pass; come in; spend *(time);* happen; end, be all over; **pasar por el altar** get married; **pase lo que pase** come what may; **se pasa de vivo** he overdoes it (being alive); **¿qué le pasa?** what's the matter with you?

pasear to stride, walk; **pasearse** take a walk

pasillo *dance typical of Ecuador;* hallway

paso step; passage

patrón *m.* boss

paz *f.* peace

pedir to ask for

pegar to beat, strike

película film, moving pictures

peligro peril, danger

peligroso dangerous

pena pain, trouble, sorrow, suffering; **me da pena** it hurts me

pensar to think; **pensar en** to think of; **pienso llevar** I intend to wear

pensativo thoughtful

peña rock; **Las Peñas** *the oldest section of Guayaquil, around the hill fortress*

peón *m.* laborer

peor worse

pequeño little, small; **pequeña** little girl

perder to lose, give up; **perder cuidado** not to worry

perdón *m.* forgiveness

perdonar to forgive, pardon

permanecer to remain

permiso permission; **con su permiso** excuse me

permitir to allow, permit

pero but

perro dog

perseguir to pursue

persona person; **en persona** in person

personaje *m.* character

persuadir to persuade

pertenecer to belong

pesado heavy

pesar: **a pesar de** in spite of

pescador *m.* fisherman

petición *f.* petition, request

picar to sting, bite

pido *pres.* of pedir

pie *m.* foot; **al pie de la letra** exactly; **en pie** standing; **ponerse en pie** to stand

piedra stone

pienso *pres.* of pensar

piladora rice mill

pilar *m.* pillar

piloto chief officer

pintura painting; **ni en pintura** not even painted

pirata pirate; *n.m.* a pirate

pisar to tread (on)

piso floor, story

placer *m.* pleasure

plan *m.* plan

plancha iron

plátano banana

pobre poor; **¡pobres de nosotros!** alas for us!; *n.m.* poor fellow; **pobrecito** poor boy

poco little, few; **por poco** almost; **un poco de música** a little music

poder to be able, have power, can; **puede ser** it may be

poder *m.* power

podrá *fut.* of poder; **podríamos** *cond.* of poder

pólvora gun powder

pon *imp.* of poner

poner to put, put in place; **poner en claro** to clear up; **ponerse** to become; **ponerse de acuerdo** to come to an agreement

ponga *subj.* of poner

por through, on account of; for the sake of; along; **por no decir** not to say; **¿por qué?** why?

porque because

portero porter, door keeper

porvenir *m.* future

poseer to possess; **poseerse de** to be possessed by

posible possible; **todo lo posible** all I can

práctica practice; **hacer práctica de** to practice

practicable practical, which can be used *or* which runs

práctico practical

precio price

precioso precious, dear, costly

preciso exact; just; necessary

preferir to prefer

pregunta question; **hacer preguntas** to ask questions, to question

preguntar to ask a question

premio prize, reward

prender to seize, arrest; **prender fuego** set fire

preocupación *f.* worry

preocupar to preoccupy; **preocuparse de** to worry about

presentar to introduce

prestar to pay (*attention*)

pretexto pretext, excuse

primer, primero first, former

primo, prima cousin

principio beginning

prisa haste

prisionero prisoner

probable probable, likely

probar to prove

problema *m.* problem

procurar to try; secure, provide

profundo profound, deep

prohibir to forbid

promesa promise

prometer to promise

pronto soon; **de pronto** all of a sudden; **lo más pronto** as soon as possible; **por lo pronto** for now; **tan pronto como** as soon as

pronunciar to pronounce

propio own

proponer to propose

propongo *pres. of* **proponer**

propósito purpose; **a propósito** by the way; **a propósito de** speaking of

propuse *pret. of* **proponer**

próspero prosperous

proteger to protect

proteja *pres. subj. of* **proteger**

provisión *f.* provision, food

próximo next, near

proyectar to plan

proyecto plan, project

prudente prudent, careful, farsighted

prueba proof

público public; *n.m.* audience

pueblo people; country; small town; **pueblecito** village

puedo *pres. of* **poder**

puerta door

pues well

puesta: puesta de sol sunset

puesto *p.p. of* **poner**; **puesto que** since

Puná island at the entrance to the Guayas River in Ecuador

punto point; **punto de vista** point of view

puntual punctual, on time

Q

que who, whom; **el que** who, which; **lo que** that which, the amount which

que *conj.* for; because

¿qué? what?; **¿a qué?** why?; **¿para qué?** what for?; **¿por qué?** why?

quebrar to break

quedar(se) to remain, be left; **¿en qué quedamos?** where does that leave us?

quejarse (de) to complain (of)

quemar to burn

querer to wish, want; **querer decir** to mean; **querrá decir** you probably mean; **de quererse** as for loving each other; **sin querer** unintentionally

querido dear, beloved

querría *cond. of* **querer**

quien who, whom; he who, anyone who, the one who

¿quién? who? whom?

quiero *pres. of* **querer**

quince fifteen; **quince días** two weeks

quinto fifth

quise (*pret. of* **querer**) I tried; **quisiera** *past subj. of* **querer**

quitar to take away, remove

quizá(s) perhaps

R

rabia rage, fury

racimo stalk, bunch

radio (*usually f.*) radio

rama branch

ramo branch; subject

rápido rapid, swift; **lo más rápidamente que pueda** *or* **posible** as fast as possible

raro curious, strange, rare; **lo raro** the strange thing

rata rat

rato short time; **a cada rato** all the time, always; **desde hace algún rato**

some time ago; **al poco rato** in a little while

razón *f.* reason, mind; **darle la razón** to prove one is right; **tiene (la) razón** you are right

razonable reasonable

reaccionar to react, change attitude

realizar to carry out

receta prescription

recibir to receive, get, welcome

recibo reception

recién, *short form of* **reciente** *used before past participles* recent, new

recoger to pick up, catch

reconocer to recognize

recordar to remember, remind

recreo recreation, rest, vacation

recuerda *imp. of* **recordar**

recuerdo remembrance, memory, souvenir

rechazar to reject, refuse

reemplazar to replace

referir to tell

refirió *pret. of* **referir**

regalar to present, give

regalo present, gift

Registro Civil Civil Registry *where Ecuadorians marry according to the laws of the state (Priests perform the religious ceremony.)*

regresar to return

reír(se) de to laugh at

reja iron grating *(to cover windows and peepholes in doors in Latin America)*

relato account, story

reloj *m.* clock, watch; **reloj practicable** clock that runs

remedio remedy, medicine; **no me queda otro remedio** I have nothing else to do

remero oarsman

rendir to yield

reparar (en) to notice; make up for

repartir to divide, distribute

repertorio repertory, the music one knows

repetir to repeat

repitan *subj. of* **repetir**

reposo rest

representación *f.* performance

representante *m.* representative

representar to represent; reproduce

reservado reserved, retired

resignarse to be resigned

resorte *m.* spring

respecto respect; **a este respecto** in regard to this; **respecto a** concerning; **respecto de** about

respetable respectable

respetar to respect

respeto respect, esteem

respirar to breathe

responder to reply

respuesta response, reply

resto rest, remnant

resuelto resolved

resultado result, outcome

resultar to turn out, prove to be

retirar(se) to withdraw, retire, leave, retreat, go to bed

retrato portrait

reunir to gather; **reunirse** be together

revelar to reveal

revolucionario revolutionary spirit

revolver to revolve; upset

revuelto *(p.p. of* **revolver***)* upset

rezar to pray

rico rich; fertile

rinda *subj. of* **rendir**

río river

risa laughter

robar to steal, rob; **robarse** to take away

rodear to surround

rodilla knee; **de rodillas** on her knees

rogar to ask, beg, request, pray

rojo red

romanticisimo Romanticism

romper to break, tear open

ronda guard, patrol; **de ronda** on guard

ropa clothes; **ropa de dormir** nightgown

rostro face

roto *(p.p. of* **romper***)* torn

rueda wheel; **sillón de ruedas** wheelchair

ruego *pres. of* **rogar**; **ruegue** *subj. of* **rogar**

ruido noise, sound

rumor *m.* rumor; sound

S

saber to know; **saber** + *inf.* to know how to; **saber bien** to be sure

sacar to take out, draw out, extract; **sacar en claro** clear up saco bag; coat

sacrificar to sacrifice

sacrificio sacrifice

sacudir to shake

sagrado sacred

sala room; **sala de recibo** reception room

saldrán *fut. of* salir

salga *subj. of* salir

salida exit; **salida de** leaving, coming out of

salir to go out, come out

salita little room

saltar to jump, leap

salto leap

salud *f.* health

saludar to greet, salute

salvaje savage; *n.m.* a savage

salvar to save, rescue

salvo safe; **a salvo** safe; *prep.* except

sangre *f.* blood; **sangre fría** cold-bloodedness

San Jacinto St. Hyacinth (1185–1257), *a Dominican monk from Poland before whose statue candles are burnt to petition a favor or to express thanks for one received*

sano healthy

santo holy; *n.m.* saint; **vestir santos** be an old maid

sé *pres. of* saber

secar to dry

secretario secretary

secreto secret; *n.m.* secret

sed *f.* thirst; **tener sed** to be thirsty

seguida succession; **en seguida** at once

seguir to follow; go on, keep on; **sigue avanzando** he keeps on going

según according to

segundo second

seguridad *f.* security, certainty

seguro sure, certain, safe; **estar seguro de** to be sure of

selva jungle

semana week

semejante like, similar, such (a)

sencillez *f.* simplicity

sencillo simple

sentarse to sit down

sentido sense; **sin sentido** unconscious

sentimentalismo sentimentality

sentimiento sentiment, feeling

sentir to feel; be sorry

seña sign, gesture; description

señalar to point to

señor *m.* gentleman, Mr.

señora lady, Mrs.

señorita young lady, Miss

sepa *subj. of* saber

separar to separate, move away, withdraw; **separarse de** to leave

sepultar to bury

ser to be; **a ser posible** if possible; **a no ser por** if it hadn't been for; **es que** the fact is that; **sea quien sea** whoever it may be

ser *m.* being, person

serenidad *f.* serenity, calmness

sereno calm

serio serious

servir to serve, be of use; **no sirve para nada** he is no good for anything; **para servirle** at your service

sí yes, indeed; *refl. pron.* himself, herself; **como para sí mismo** as if to himself; **que sí** so, yes

si if; why; *sometimes not translated;* **si no** otherwise

siembra sowing

siempre always; **para siempre** forever

siento *pres. of* sentir; **me siento** *pres. of* sentarse

siglo century

significación *f.* meaning

significar to signify, mean

significativo significant

silencioso silent

silla chair; **sillón** *m.* big chair; **sillón de ruedas** wheelchair

simpatía sympathy, pity; **me tiene simpatía** he likes me

simpático appealing, attractive, nice

sino except; but rather; **no ... sino** only; **sino que** but

sinvergüenza *m.* shameless person, rascal

siquiera at least; **ni siquiera** not even

sirve *pres. of* servir

sitio place, spot

situado located

sobrar to be unwanted; more than enough

sobre on, above; **sobre todo** especially

sobrino nephew; **sobrina** niece

sociedad *f.* society, company

socorro help

sol *m.* sun; **puesta del sol** sunset

soldado soldier

solo alone, single; empty; **a solas** alone; **solita** all alone

sólo merely, only

soltar to let go of

soltera old maid, unmarried woman

sombrerera hat rack

someter to subject, submit

son *pres. of* **ser**

sonámbulo somnambulist, sleep walker

sonar to sound, ring

sonido sound

sonreír to smile

sonríe *pres. of* **sonreír**; **sonriendo** *pres. p. of* **sonreír**

sonrisa smile

soñar (con) to dream (about)

sordo deaf; **sordomudo** deaf mute, deaf and dumb

sorprender to surprise

sorpresa surprise

sospecha suspicion

sospechar to suspect

sospechoso suspicious

soy *pres. of* **ser**

subir to come up, rise, climb; go in

súbito sudden

subterráneo subterranean, underground, deep

Sudamérica South America

suelo ground, floor; **por el suelo** along the floor

suéltame *imp. of* **soltar**; **suelto** *pres. of* **soltar**

suena *pres. of* **sonar**

sueña *pres. of* **soñar**

sueño dream

suerte *f.* luck; **de suerte** lucky; **de suerte que** so that

sufrimiento suffering

sufrir to suffer

sugerir to suggest

sugiere *pres. of* **sugerir**

sugirió *pret. of* **sugerir**

supiera *past subj. of* **saber**

suponer to suppose

supongo *pres. of* **suponer**

supuesto (*p.p. of* **suponer**) fictitious, supposed; **por supuesto (que no)** of course (not)

suspirar to sigh

suyo his, her; **los suyos** his men

T

tal such, such a; **tal como** just as; **¿qué tal?** how are things going?

tamarindo tamarind tree (*one of which figured in colonial history*); **Viuda del Tamarindo** *legendary ghost of Guayaquil*

también also, too

Támesis Thames (*river in London*)

tampoco not . . . either

tan as, so; **tan malo como** as bad as

tanto as, so much, *pl.* as many; **tanto como eso** as far as that goes; **en tanto** while; **entre tanto** meanwhile; **mientras tanto** meanwhile; **tanto . . . como** as much . . . as

tanto *adv.* so much, so, as much; **tanto Mrs. Adams como Victoria** both Mrs. Adams and Victoria

tarántula tarantula (*a kind of spider*)

tardanza delay

tardar to delay, be late

tarde *adv.* late; **más tarde** later

tarde *f.* afternoon; **de tarde** in the afternoon

tarea task, job

tatarabuela great-great-grandmother

te you, to you

techo roof

tela cloth; **tela metálica** fly screen

telón *m.* curtain in a theater

temblar to tremble

temer(se) to fear

tempestad *f.* storm

temprano early

ten *imp. of* **tener**

tener to have; **¿qué tienes?** what's the matter with you?; **tener prisa** to be in a hurry; **tener 15 días de nacida** to be two weeks old; **tengo que llegar** I have to arrive; **tener lugar** to take place. *For other meanings, look under the noun.*

tenga *subj. of* **tener**

terminar (de) to end, finish

término limit; **primer término** downstage; **segundo término** midstage or upstage

termómetro thermometer

terror *m.* terror

tertulia gathering, party

tesoro treasure

testamento testament, will

testigo witness

tía aunt

tiempo time; period; **a tiempo** in time; **con tiempo** in plenty of time; **hace algún tiempo** some time ago; **más tiempo** longer

tiene *pres. of* **tener**; **aquí tiene** here it is

tierra earth, land

timbre *m.* bell

tina (bath) tub

tío uncle

típico typical; of the country

tipo type; fellow, guy

tirador *m.* marksman

tirar to throw; shoot

tiro shot, shooting

título title

tocar to touch, hit, knock; play (*an instrument or composition*); **a tocar** go ahead and play; **me tocó** it was my job; **tocó tierra** landed; **te toca** it belongs to you

todavía still, yet

todo all; **todo menos eso** anything except that; **toda la sala** the whole room; **sobre todo** especially

tomar to take, seize; **tomar en cuenta** to take into account

tono tone

tontería foolishness

tonto foolish; *n.m.* stupid one, fool

toro bull

trabajar to work

trabajo work, job

tractor *m.* tractor

traer to bring, carry

tráfico traffic, travel, shipping

tragar to swallow

tragedia tragedy

traído *p.p. of* **traer**

traiga *pres. subj. of* **traer**

traje *m.* suit, clothes; **traje de etiqueta** evening dress; **traje de viajero** traveling clothes, best clothes

trajo *pret. of* **traer**

trampa trap door, trap

tranquilo calm, quiet

transición *f.* transition, change of subject or of mood

tras behind

trasladar to move

tratar to be intimate with; **tratar con** deal with; **tratar de** to try; ¿ **de qué se trata?** what is it all about?; **se**

trata de it is about, it is a matter of

trato (friendly) treatment; **tener trato con** to deal with

través: a través de across, through

triste sad

tristeza sadness, sorrow

tropezar (con) to bump (into)

trópico Tropics

tropieza *pres. of* **tropezar**

túnel *m.* tunnel

tuvo, tuvimos *pret. of* **tener**; **tuviera** *past subj. of* **tener**

U

último last, final; **por último** finally

un, uno one, a

único only; **lo único** the only thing; **lo único que me faltaba** the last straw; *n.m.* the only one

uniforme *m.* uniform

unir to join, unite

uno one, someone; *pl.* some

utilizar to use

V

va *pres. of* **ir**

vaca cow

vacilar to hesitate, weaken, shake

vacío empty

vacunado vaccinated

vagar to wander

valer to be worth (while); **valerse de** to make use of; **en lo que vale** for what it is worth; **más vale** it is better

valiente brave

valor *m.* value; courage

vals *m.* waltz

valle *m.* valley

vano vain; useless

vapor *m.* steamship

vario various, several

vaselina vaseline *i.e. smoothness*

vaso glass, vase

vaya *subj. of* **ir**

veces *pl. of* **vez**

vecino nearby

veinte twenty

vela candle

velo veil

velocidad *f.* speed

ven *imp. of* **venir**

vencer to conquer, overcome
vender to sell
vengar to avenge
venir to come; **me vine** I came along
ventana window
ver to see; **nada que ver con** nothing to do with; **verse** to seem
verano summer *i.e. non-rainy season*
veras: de veras really
verdad *f.* truth; **¿ verdad?** isn't it? are you? *etc.;* **de verdad** really
verdadero real, true
verde green
vergüenza (sense of) shame
vestido dress
vestir(se) to dress; **vestir(se) de** to dress in; **vestir santos** to be an old maid
vete *imp. of* **irse**
vez *f.* time; **a veces** at times; **a (su) vez** in (his) turn; **alguna vez** sometimes; *in questions* ever; **cada vez más** more and more; **de vez en cuando** from time to time, sometimes; **muchas veces** often; **otras veces** previous times; **tal vez** perhaps; **una vez** once; **varias veces** several times
viajar to travel; **de viajar** traveling
viaje *m.* trip, journey
viajero, viajera traveler
víbora snake
vida life; **de mi vida** darling
viejo old
viene *pres. of* **venir**
viera *past subj. of* **ver**
vigilancia vigilance, watchfulness
vigilar to keep watch over, guard, look after
villano villain
vino wine

vino *pret. of* **venir**
visita visit, call; caller, visitor
vista sight; view
viste *pret. of* **ver**
visto *p.p. of* **ver**
viuda widow
vivir to live; **¡ viva !** hurray for !
vivo alive; excited; *n.m.* living person
volar to fly
voluntad *f.* will
volver to turn, return; **al volver** upon returning; **volver en sí** to come to; **vuelve a mirar** he looks again; **volverse** to turn around; become
voy (*pres. of* **ir**) I am going; I am coming
voz *f.* voice; **en voz alta** out loud, aloud; **en voz baja** in an undertone
vuela *pres. of* **volar**
vuelo flight
vuelta turn; trip; **dar una vuelta** to take a trip
vuelve *pres. of* **volver**
vuestro your

Y

y and
ya now; any more; **ya que** as long as
yanqui Yankee, North American

Z

zaguán *m.* entrance hall
Zambelí Canal of Zambelí, *one of the two channels through which the Guayas River enters the Pacific Ocean*
zapato shoe